Y0-ABI-248

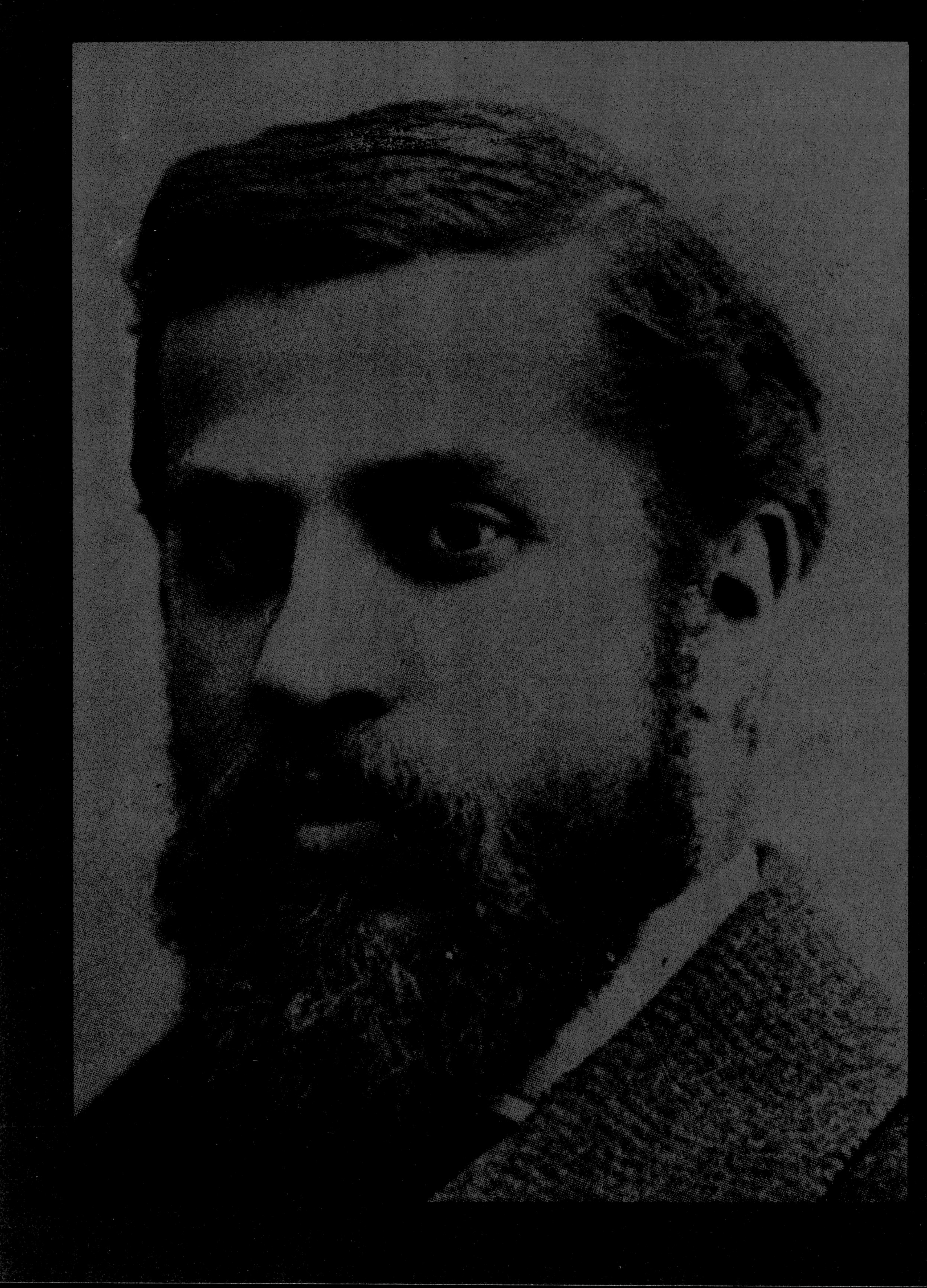

Rainer Zerbst

Gaudí

1852 - 1926

Antoni Gaudí i Cornet - een leven in de architectuur

TASCHEN/LIBRERO

Afbeelding op het omslag: Park Güell, dakpartij van het portiershuis waarvan de torenachtige opbouw bekroond wordt door een 'vliegenzwam'.
Afbeelding op achterkant omslag: de Sagrada Familia, binnenzijde van de oostelijke gevel.
Tegenover titelblad: portret van Antoni Gaudí, foto uit het jaar 1878.

Dit boek zou zonder zijn voorlopers niet hebben kunnen ontstaan. In 1978 verscheen bij Rikuyo-Sha een uit twee delen bestaand werk over de architect Gaudí:
Gaudí: Arte y Arquitectura.
De tekst hiervoor schreef professor Juan Bassegoda Nonell, die de Gaudí-leerstoel aan de Universidad Politecnica de Cataluña bekleedt. Bij deze tekst zijn ontwerpen van enkele bouwwerken van Gaudí afgebeeld, die door Hiroya Tanaka gerealiseerd werden. Een keuze daaruit is ook in dit boek te vinden.
In 1984 organiseerde de Fundacio Caixa de Pensions uit Barcelona een grote reizende tentoonstelling met een begeleidende catalogus.
Professor Juan Bassegoda Nonell organiseerde deze tentoonstelling en hield er toezicht op. Hij schreef tevens de tekst voor de catalogus, die in zes talen werd vertaald. Er zijn enkele foto's in te vinden die door de fotografen van de Fundacio Caixa de Pensions gemaakt werden. De afbeeldingen komen uit het archief van de Gaudí-leerstoel aan de Universidad Politecnica de Cataluña, het belangrijkste instituut op het gebied van het onderzoek naar Gaudí's werk. Het fotomateriaal van deze catalogus werd voor een deel in dit boek gebruikt. De uitgebreide documentatie van de catalogus was onmisbaar voor de totstandkoming van dit boek.
In 1985 gaf Rikuyo-Sha zijn beide Gaudí-delen van 1978 onder de titel **»Gaudí: Arte y Arquitectura«** in één band uit. Deze uitgave vormt de basis van dit boek.
Uitgever en bewerker bedanken alle betrokkenen voor dit aan deze publikatie voorafgegane werk.

CIP-gegevens Koninklijke Bibliotheek, Den Haag

Zerbst, Rainer

Antoni Gaudí / Rainer Zerbst; [vert. uit het Duits]. - Keulen: Taschen - Foto's
Vert. van: Gaudí, 1852-1926: Antoni Gaudí i Cornet, ein Leben in der Architektur. - Keulen: Taschen, 1987. - Met bibliogr.
SISO eu-span 717.7 UDC 929 Gaudí, Antoni+72(460)"18/19"
Trefw.: bouwkunst; Spanje; geschiedenis; 19e eeuw / bouwkunst; Spanje; geschiedenis; 20e eeuw / Gaudí, Antoni.

Produktie Nederland: Librero, Hedel; TextCase, Groningen

Foto's: François René Roland
Vormgeving: A.C. Schmidt-Schöne
Vertaling: Sophie Brinkman en Ursula Posthuma
Redactie: TextCase, Groningen
Produktie: TextCase, Groningen
Zetwerk: Letter & Lijn, Groningen
Druk: Buch- und Offsetdruckerei Ernst Uhl, Radolfzell
Printed in Germany
ISBN: 3-8228-0122-4

Inhoud

Gaudí - een leven in de architectuur

Het schijnt dat op 12 juni 1926 half Barcelona in de rouw was. De rouwstoet, die zich langzaam van het Hospital de Santa Cruz in het oude gedeelte van Barcelona naar de kerk van de Sagrada Familia bewoog, was wel een kilometer lang. Duizenden hadden zich langs de vier kilometer lange route verzameld om hem de laatste eer te bewijzen: Antoni Gaudí i Cornet, de 'geniaalste onder de architecten', zoals zijn vriend en medewerker Joaquim Torres García hem ooit noemde, de 'Catalaan onder de Catalanen'. Er ontbrak dan ook in de rouwstoet geen enkele van de hoogwaardigheidsbekleders uit zijn geboortestreek.

Gaudí was al lang een volksheld geworden. De regering had geregeld dat hij bijgezet zou worden in de crypte van de nog onvoltooide kerk, waarvoor de paus toestemming had gegeven. Gaudí vond de laatste rust op de plaats waar hij 43 jaar van zijn leven gedeeltelijk en de laatste 12 jaar uitsluitend had gewerkt. Hij had zijn eigen vaderland geschapen en daar werd hij roemvol ter aarde besteld.

Vijf dagen daarvoor zag alles er heel anders uit. Net als elke dag had Gaudí aan het eind van de middag, na het werk, een wandeling gemaakt naar de kerk van St. Philip Neri om te bidden. Onderweg kwam hij onder een tram, die hem meesleepte. Gaudí bleef bewusteloos op straat liggen, maar niemand herkende de architect. Hij was in Barcelona wel beroemd, maar bijna niemand kende hem van gezicht. Taxichauffeurs weigerden om de armelijk geklede man naar een ziekenhuis te brengen (wat hun later op zware straffen kwam te staan). Voorbijgangers namen toen de zorg voor de zwaargewonde man op zich. Een vreemd einde voor een van de beroemdste architecten van Spanje. Maar zo'n mengeling van tegenstellingen is karakteristiek voor het leven van Gaudí. Dat hij aan het eind grote belangstelling van de Staat maar meer nog van de bevolking kreeg, was niet iets wat hij in de wieg had meegekregen.

Hij werd op 25 juni 1852 geboren in Reus als zoon van een kopersmid. Dat betekent een niet bepaald met rijkdom gezegende kindertijd. Bovendien werd de kleine Antoni al vroeg door ziekten geplaagd. Door reuma kon hij als kind al niet aan spelletjes met de andere kinderen meedoen. De jongen was vaak aan huis gebonden en soms moest hij op een ezel vervoerd worden. De aanvallen van reuma bepaalden, tot het einde toe, zijn hele leven. De artsen schreven hem een streng vegetarisch diëet en veel lichte beweging voor. Daar vielen de gebruikelijke wandelingen naar de Nerikerk onder. Ook als jongeman wandelde Gaudí al veel door de streek, wat in die tijd een nogal ongewone bezigheid was.

Het heeft weinig zin ons af te vragen of Gaudí ook zonder zijn ziekte de architect zou zijn geworden, die op deze wijze de geschiedenis van Spanje in zou gaan. Maar al kon de kleine Antoni zich niet ongehinderd bewegen, hij kon wel zijn blik - en zijn gedachten - laten rondgaan. Hij moet een vroegrijp kind zijn geweest, dat zijn omgeving al vroeg met verbazingwekkende ideeën verraste. Toen de onderwijzer een keer vertelde dat de vogels dankzij hun vleugels konden vliegen, bracht Antoni daartegenin dat de kippen ook vleugels hadden maar dat ze die alleen gebruikten om sneller te kunnen lopen. Deze scherpe blik voor details en de gewoonte om van alledaagse dingen te leren, behield hij zijn hele

Boven: een tekening van het huis nr. 4 in de Calle de San Juan in Reus. Het huis staat er niet meer, maar vermoedelijk werd Gaudí daar geboren.

Links: Gaudí in zijn werkruimte in de Sagrada Familia. De tekening werd gemaakt door Ricardo Opisso.

Proyecto de un palio para esta Exma. Dn.
Escala 1/25

Links: de poort van het kerkhof, die Gaudí in 1875 als examenwerkstuk op de Academie voor het vak 'Ontwerpen' maakte.

leven. Dit is in zijn bouwwerken te zien. Voor architectuur had hij overigens al op de school in Reus belangstelling - die natuurlijk nu zijn naam draagt -, en op de leeftijd van 17 jaar ging hij naar Barcelona om architectuur te studeren.

Een genie of een gek?

Ook als student bleef hij de praktijk trouw, want naast de theoretische studie op de instituten en op het tekenbord werkte hij - om geld te verdienen - bij een aantal architecten in de stad.

Een bijzonder goede student schijnt hij niet te zijn geweest, maar het was voldoende voor een goede opleiding in de wezenlijke kennis van de architectuur; voor een ontwerp van een portaal van een kerkhof kreeg hij zelfs de aantekening 'uitstekend'. Daarmee haalde hij zijn examen - eerlijk gezegd niet zonder hindernissen. Aan de universiteit liet hij niet alleen zijn belangstelling voor de bouwkunst zien, maar ook zijn eigenzinnige karakter. Om de bouwtekening meer 'sfeer' te geven was hij begonnen met het tekenen van een lijkwagen, die duidelijk zorgvuldiger was uitgevallen dan de eigenlijke bouwtekening. Deze eigenzinnigheid bleef ook bij de docenten niet onopgemerkt. Voor de directeur van de opleiding was er geen twijfel aan dat ze met dit examen iemand hadden laten slagen die ofwel gek of een genie was - een oordeel waar Gaudí in zijn loopbaan vaker mee te maken zou krijgen. Want hoewel hij zijn studie keurig had afgemaakt, zou hij zich toch al snel verwijderen van de architectuur van zijn tijd.

Boven: de Universiteit van Barcelona (de voorgevel aan de Avenida Gran Via de les Corts Catalanes).

Gaudí begon zijn carrière niet als revolutionair en haalde zijn ideeën ook wel uit de boeken. Maar hij begon zijn zoektocht naar een eigen stijl in een bijzonder gunstig klimaat. De gehele Europese architectuur bevond zich in een toestand van openheid. Men zocht naar nieuwe ideeën en er was geen vaste norm. In de 19de eeuw was de geschiedenis als wetenschap opgekomen; men keek - ook in de kunst - naar het verleden. Het

Bladzijde 8: ontwerp voor de binnenplaats van het Provinciegebouw in Barcelona (aquareldetail).

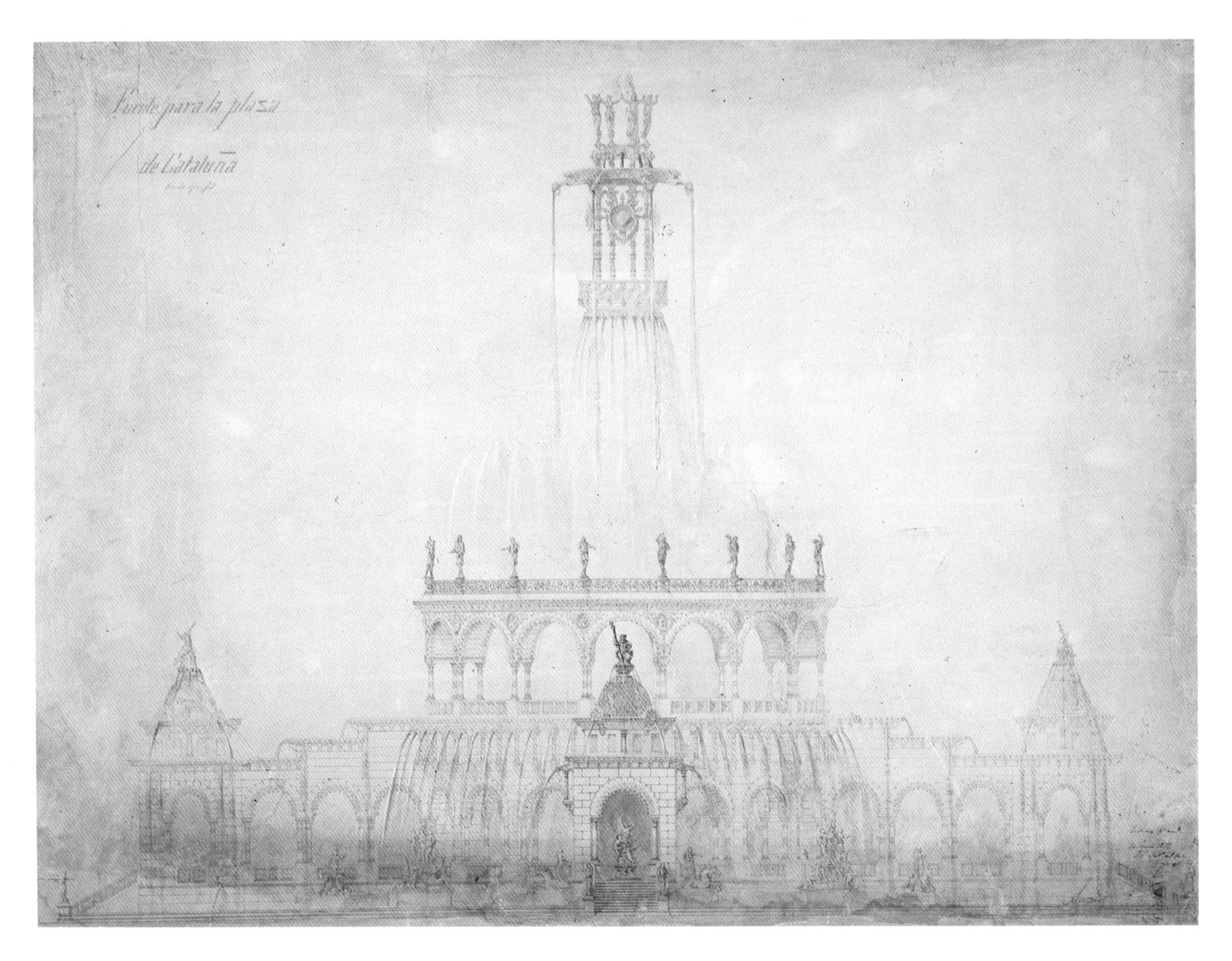

Boven: ontwerp voor een fontein op de Plaça de Catalunya in Barcelona. Deze bron, die veertig meter hoog moest worden en het hele plein in beslag zou nemen, werd nooit gebouwd.

Bladzijde 11: ontwerp voor een aanlegplaats voor boten, frontaanzicht (boven) en zijaanzicht (onder). De extra prijs waarop Gaudí met dit ontwerp hoopte, heeft hij niet gekregen.

gevolg was een tot dan toe ongekend eclecticisme. Daar droeg ook de opkomst van een aantal nieuwe stromingen toe bij. Na de strenge tijd van het Classicisme begon men zich van de benauwing van de strikte regels te bevrijden. De Romantiek had de vrijheid van gevoel en subject gepredikt. Dit drukte zich het duidelijkst uit in de stijl van de tuinen. Op de periode van de rechtlijnige, zuiver gestructureerde Franse tuin volgde de bloei van de Engelse landschapstuinen. Het ging nu om de natuurlijke groei. Al snel dweepte men zelfs met uitgesproken wilde tuinen, die wel degelijk kunstmatig waren aangelegd.

Daarbij kwam een ware begeestering voor het verleden, de Middeleeuwen, die door de verlichters van de 18de eeuw nog werden gezien als de 'duistere' periode. De gotiek leefde weer op - waarbij men onder gotiek alles liet vallen wat op de een of andere manier met de Middeleeuwen te maken had. Men bouwde kastelen in oude stijl en zette zelfs kunstmatige 'ruïnes' in de tuinen. Er ontstond een sterke afkeer van strakke lijnen, die uiteindelijk leidde tot een vlechtwerk van louter ornamentele lijnen; dit werd een van de wezenlijkste kenmerken van de Jugendstil.

Al deze vernieuwingen bleven ook in de Spaanse kunstwereld niet zonder invloed, hoewel het Iberisch Schiereiland zich altijd wat afgezonderd had van de grote stromingen in Europa en een wereld op zich was. De geschriften van de Engelse kunsttheoreticus John Ruskin werden ook

in Spanje geestdriftig verslonden en bleven niet zonder gevolgen, ook niet voor Gaudí. "Het ornament is de oorsprong van de architectuur", predikte Ruskin in 1853. Enkele tientallen jaren later zou Gaudí zich op dezelfde vurige wijze voor het ornament inzetten. De grote ijzeren poorten van het Palacio Güell, dat hij eind tachtiger jaren in Barcelona bouwde, konden nauwelijks meer op Jugendstil lijken.

De dandy

Gaudí bestudeerde ook de neogotiek, zoals die in de eerste plaats door de Franse architecten gepropageerd werd. Het boek van Viollet-le-Duc over de Franse architectuur in de elfde tot de dertiende eeuw werd voor de jonge architecten, dus ook voor Gaudí, bijna tot bijbel verheven. Hij reisde zelfs naar Carcassonne, waar Viollet-le-Duc de oude stad gerestaureerd had. Gaudí onderzocht de muren zo intensief dat een buurtbewoner dacht dat hij Viollet-le-Duc zelf was, waarop hij hem de daarbij behorende

De jonge Gaudí in 1878. Gaudí schuwde de camera, waardoor deze foto een zeldzame waarde heeft. Het is een van de weinige opnamen die we van Gaudí hebben. We zien hier de aantrekkelijke, voor de wereld openstaande, de bekoringen van het gezelschapsleven toegedane jonge kunstenaar aan het begin van zijn carrière. (De foto bevindt zich in het museum van de stad Reus.)

eerbied betoonde. Dat een dergelijke vergissing kon ontstaan, lag aan het optreden van Gaudí in zijn eerste jaren als architect. Stellen we ons de armoedig geklede oude Gaudí voor, die de openbaarheid niet echt schuwde maar ook niet opzocht, die elke camera het liefst uit de weg ging - daardoor zijn er nauwelijks foto's van hem -, dan biedt de jonge Gaudí daarmee een verbluffend contrast.

Hoewel de jonge Gaudí niet bepaald rijk was - tijdens zijn hele studietijd leefde hij in vrij armelijke omstandigheden en moest hij altijd wat geld bijverdienen - had hij de universiteit nog niet verlaten of hij zocht blijkbaar genoegdoening voor de vroegere ontberingen. Hij ontwikkelde een neiging tot een modieus, dandy-achtig optreden, die overigens in die tijd paste. Het was de tijd waarin de dichters, zoals Oscar Wilde, de uiterlijke levensstijl, de geraffineerde stijl van kleden tot hoogste ideaal hadden verheven. Gaudí was voor Spaanse begrippen ook nog een prachtige en ongewone verschijning: dik blond haar, diepblauwe ogen en een fors postuur - zoiets viel op. Zijn hoeden kocht hij bij 'Arnau', de beste hoedenmaker; zijn visitekaartje als jonge architect was zorgvuldig opgesteld - het ligt nu in het museum in Reus -, en bij Audonard, de beste kapper, liet hij zijn baard met het elegante zweempje grijs knippen. Maar hij droeg nooit nieuwe schoenen. Omdat hij een hekel had aan het ongemak daarvan, liet hij ze 'inlopen' door zijn broer - zo merken we bij alles zijn praktische kant op. Hoe anders ging het bij de oude Gaudí, die, als hij zijn maaltijden niet oversloeg, altijd karig at en dikwijls nog hongerig van tafel ging.

In zijn hart bleef Gaudí altijd zijn afkomst trouw. Hij voelde zich verbonden met het volk. Toen men er na zijn ongeluk met de tram achter kwam wie hij was, wilde men hem naar een eeste klas kamer in het ziekenhuis overbrengen, maar hij zei: "Mijn plaats is hier bij de armen." Dat past

Boven: de haven en Barcelona in het jaar 1872. De foto toont de zich snel uitbreidende randgebieden van de groeiende industriestad. Onder: de Passeig de Gràcia in het jaar 1870.

Links: de hoek van de Rambla en de Calle de Pelayo in Barcelona. Hier bevond zich het café Pelayo - een trefpunt van intellectuelen, waar ook Gaudí als student dikwijls te vinden was.

PARANINF

Project voor het toelatingsexamen: de aula van de universiteit in dwarsdoorsnede. In dit ontwerp is Gaudí's neiging om verschillende bouwstijlen te vermengen en het bouwwerk een eigen karakter te geven al merkbaar: de centrale koepel staat in contrast tot de strenge, rechthoekige voorgevel. Maar Gaudí zorgde voor een synthese door de schuine overgang van het dak. Misschien waren zijn leraren aan de Academie wel verbaasd door deze vermenging van stijlen; in ieder geval kreeg hij voor zijn werk alleen de vermelding 'geslaagd'- de geringste vermelding die de universiteit placht te verstrekken.

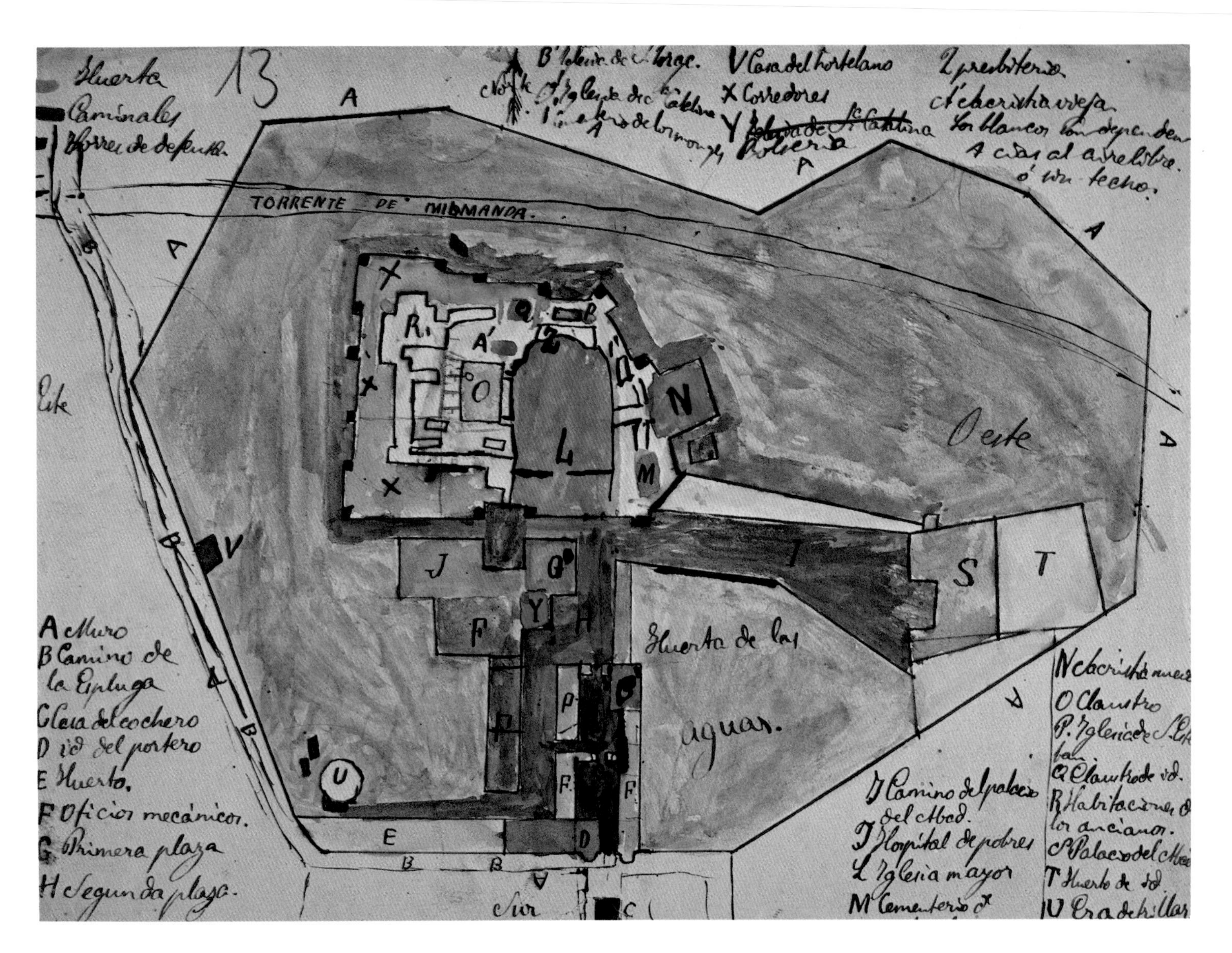

Ontwerp voor de restauratie van het klooster in Poblet. Dit project behoort tot het werk waaraan Gaudí al tijdens zijn voorbereidingscursus voor de architectuurstudie meewerkte.

niet direct bij de voorliefde van de jonge Gaudí voor voornamer gezelschap. In ieder geval was het eerder een omgang met de elite van de geest, met de intellectuelen en de kunstenaars.

Barcelona rond de eeuwwisseling

Barcelona was een stad in opkomst. In 1854 waren de oude stadsmuren neergehaald en de stad barstte uit haar voegen. In enkele jaren groeide ze van 20 naar 200 hectare. In de tweede helft van de negentiende eeuw verviervoudigde de bevolking zich. Dankzij de katoen- en ijzerindustrie bloeide het bedrijfsleven, en de burgerij ging het beter dan ooit. Zo'n situatie verheft het bewustzijn en dus ook het culturele leven. De rijken omgaven zich graag met kunstenaars en dichters. Niet zelden woonde men onder één dak. Voor een architect was dat natuurlijk een ideale uitgangspositie. Daarom was het misschien geen wonder dat Gaudí bijna al zijn werken in Barcelona schiep. Het was voor hem meestal niet nodig om naar andere plaatsen te gaan. We hoeven dan ook alleen maar een wandeling door Barcelona te maken om het wezenlijke van Gaudí's werk te bewonderen.

Het gezelschap waarin de jonge architect zich begaf, bleef niet zonder gevolgen voor zijn denkwijze. Al snel maakte hij zich de vooral bij jongere mensen antikerkelijke houding eigen. Tegelijkertijd raakte hij geïnteresseerd in de nieuwe sociale theorieën en ideeën. Hoewel hij zich thuisvoelde in intellectuele kringen, zette hij zich ook in voor de problemen van de arbeiders. Het is zeker geen toeval dat zijn eerste grote bouwproject zich met het onderbrengen van arbeiders van een fabriek bezighield. Het was een project dat in samenwerking met de arbeiderscoöperatie van Mataró werd uitgevoerd, een eerzuchtige onderneming die herinnert aan de ideeën van de Engelse hervormer Robert Owen, die zich, hoewel zelf industrieel, hartstochtelijk inzette voor een betere levensstandaard van de arbeiders. Het project van Mataró moest de bouwkundige voorwaarden voor een dergelijke verbetering scheppen. Maar de tijd was er blijkbaar nog niet rijp voor: er werden uiteindelijk alleen een fabriekshal en een kleine kiosk gebouwd, wat de jonge Gaudí een beetje ontnuchterde.

Al voordat hij aan zijn architectuurstudie begon, ondernam Gaudí talrijke wandelingen naar bekende bouwwerken in de omgeving. Het vervallen klooster van Poblet was een van de vele bezoekpunten.

Maar het project van Mataró betekende wel het begin van een steeds groeiende faam. Het project werd in 1878 op de wereldtentoonstelling in Parijs getoond en het leverde Gaudí een levenslange vriendschap op met Eusebi Güell, voor wie hij talrijke bouwwerken zou maken.

Maar zover was het nog lang niet. Voorlopig is Gaudí nog steeds op zoek naar een eigen stijl en hij laat zich nog door de heersende stromingen beïnvloeden. Daartoe behoorde in de eerste plaats de neogotiek. Deze stijl is - net als het arbeidersproject - niet vrij van politieke invloeden. De herontdekking van de gotiek was een tijdverschijnsel in heel Europa. Maar in Catalonië, de geboortestreek van Gaudí, kreeg de gotiek een extra prikkel.

Gaudí - een Nationalist

Ondanks de economische opbloei van de streek vertoonde Catalonië in politiek opzicht eerder een neergang. Daarbij kon Catalonië op een roemrijk verleden terugkijken. Onder de Romeinen was het land tot een handelscentrum uitgegroeid en in 343 kreeg het een bisschopszetel. In de Middeleeuwen was Catalonië, dat haar naam dankt aan de Westgoten, die in de vijfde eeuw na Christus Barcelona tot de hoofdstad van hun rijk maakten, een onafhankelijk graafschap met eigen rechten en een eigen taal. Later, met het ontstaan van het door Castilië beheerste Spaanse Rijk, raakte de streek stap voor stap deze onafhankelijkheid kwijt tot, begin 19de eeuw, zelfs het gebruik van het Catalaans op de scholen verboden werd. De hernieuwde belangstelling voor de Middeleeuwen in de laatste decennia van de 19de eeuw, de herontdekking van de gotiek, was voor de Catalanen meer dan alleen een aangelegenheid van de kunst. Het werd tot een politiek signaal. Ook Gaudí werd gegrepen door de nationalistische geestdrift.

Gaudí werd lid van het 'Centre Excursionista', een groep jonge mannen die op zoek ging naar de historische plaatsen uit het grootse verleden. Gaudí voelde zich door en door Catalaan. Tijdens zijn leven sprak hij demonstratief alleen maar Catalaans, zelfs wanneer zijn aanwijzingen aan

Ontwerp voor het Casino. Tuinfaçade (links) en (rechts) de façade aan de straat van de 'Obrera Mataronense' (arbeiderscoöperatie van Mataró). De plannen voor dit verenigingsgebouw gaan terug naar het jaar 1873. Toen werd alleen de vlag ontworpen. De verschillende bouwwerken werden in 1878 gepland, maar slechts voor een deel uitgevoerd.

de arbeiders op de bouwplaats eerst vertaald moesten worden. Toen hij aan het eind van zijn leven een keer voor het gerecht moest verschijnen, weigerde hij de vragen in het Castiliaans (Spaans) te beantwoorden.

Al deze politieke ideeën werden door Gaudí echter niet met politieke programma's of partijen verbonden. Hij voelde zich meer op emotionele wijze verbonden met zijn volk en vaderland. Zo zullen voor hem de uitstapjes naar de monumenten uit het verleden ook niet alleen een politieke betekenis hebben gehad. Hier verbreedde hij zijn kennis van de grote bouwwerken van zijn vaderland. Daartoe behoorden naast de grote gotische kathedralen - bijvoorbeeld die van Tarragona, slechts tien kilometer van zijn geboortestad Reus - in de eerste plaats de Moorse bouwwerken, die van het Arabische verleden van Spanje getuigen. Ook hier bevond Gaudí zich in goed en vooral ook groot gezelschap. Opnieuw wat later dan in de rest van Europa was ook in Spanje belangstelling voor het exotische ontstaan. In Midden-Europa begon deze belangstelling al in de 18de eeuw, toen het gevaar van een Turkse invasie voorbij was - de Turken

waren in 1688 bij Wenen verslagen - en de belangstelling voor het vreemde was overgebleven. In Spanje was het Moorse verleden al eeuwenlang deel van de geschiedenis. Het was hier niet in de eerste plaats de interesse in het vreemde en ongewone. Maar toen het oriëntalisme in de 19de eeuw de voorname salons beheerste, maakte zich ook in Spanje de fascinatie voor het exotische kenbaar.

Misschien herinnert de tekening die Gaudí voor zijn toelating tot de universiteit maakte, een beetje aan een Moorse façade, hoewel het niet moeilijk is om hier aan de grote koepelbouw van de Italiaanse Renaissance herinnerd te worden.

De eerste pogingen

Gaudí was nooit op een zuivere stijl uit. Hij was geen nabootser, maar liet zich door de bouwwerken uit het verleden inspireren. Hiermee volgde hij Viollet-le-Duc, die voor een niet-kritische overname van oude mo-

Boven: de straatlantaarn die Gaudí ontwierp voor de promenade aan de Passeig de Muralla del Mar in Barcelona. Hieruit blijkt zijn nationalistische instelling, want op de lantaarns moesten de namen van beroemde Catalaanse admiraals aangebracht worden.

dellen had gewaarschuwd: de grote werken uit het verleden moesten geanalyseerd worden om daaruit ideeën te halen voor de tijd van nu. De bouwwerken van Gaudí zijn een realisering van deze theorie (en ook de reconstructie van de oude stad van Carcassonne is grotendeels een nieuwe schepping, niet slechts een restauratie van het oude). Misschien was het juist deze vermenging van verschillende stijlen die hem voor het ontwerp voor zijn toelatingsexamen de aantekening 'geslaagd' opleverde. Eenzelfde fantastisch aandoend ontwerp had hem een jaar daarvoor ook niet de zo begeerde extra prijs opgeleverd.

Dit gebrek aan officiële erkenning, in ieder geval in de vorm van prijzen, zou hem zijn leven lang begeleiden. Misschien was dat de oorzaak van het feit dat Gaudí altijd het gevoel had mislukt te zijn; in ieder geval uitte hij zich vaak in deze richting. Blijkbaar waren zijn architectonische ideeën te gedurfd en werden ze daarom door stads- en staatsinstellingen te weinig op hun waarde geschat. Hij heeft maar één keer een prijs gekregen en dat was dan ook voor een van zijn conventionelere bouwwerken, het Casa Calvet. Hij kreeg ook zelden opdrachten van de overheid. Alleen in het begin van zijn carrière kreeg hij een relatief kleine opdracht van de stad: in februari 1878 gaf de stad Barcelona 'de jonge en bekwame architect D. Antonio Gaudí' opdracht om een straatlantaarn te ontwerpen, die zowel bij de pers als bij het publiek in de smaak zou moeten vallen. Maar verder werkte Gaudí vooral aan en voor zijn schrijftafel - hij maakte op enkele uitzonderingen na plannen en ontwerpen die niet uitgevoerd werden, waaronder ook een prachtige, als een

Rechts: de door Gaudí ontworpen straatlantaarns op de Plaça Real in Barcelona.

In 1871 verwierf de Academie voor Architectuur in Barcelona een serie foto's van oosterse bouwwerken. De studenten werden gefascineerd door de foto's. Door deze foto's leerde Gaudí voor het eerst de zuivere oosterse bouwstijl kennen.

bouwwerk werkende schrijftafel die hij voor zichzelf ontwierp en die jammer genoeg verloren is gegaan.

Maar hoewel Gaudí officieel weinig erkenning kreeg, over gebrek aan erkenning hoefde hij zich niet te beklagen. Hij kreeg zijn eigen begunstigers, die zijn genie erkenden. Hij had nauwelijks wat grotere bouwwerken gerealiseerd of hij had al meer opdrachten dan hij aankon. Het is interessant dat hij zijn eerste belangrijke opdracht kreeg vóór hij in de openbaarheid was getreden. Hij was nog niet begonnen aan zijn eerste spectaculaire bouwwerken - het Casa Vicens, het landhuis El Capricho en vooral het Palacio Güell - of hij kreeg een opdracht voor een van de eervolste bouwwerken van Barcelona. In 1881 kocht de 'Asociación Espiritual de Devotos de San José' (geestelijke vereniging van vereerders van de heilige Jozef) een heel huizenblok op aan de toenmalige rand van Barcelona. Op dit stuk grond moest een kerk ter ere van de Heilige Familie (Sagrada Familia) ontstaan.

Dit voornemen was niet vrij van politieke bijgedachten. Men wilde daarmee een protest uitdrukken tegen de toenemende industrialisering en tegen het verlies van alle waarden. In de 19de eeuw was de heilige Jozef tot schutspatroon geworden van die bewegingen die binnen de Katholieke Kerk een reactie propageerden tegen de toenemende verwereldlijking. De bezinning op de familie moest tot een terugkeer naar de traditionele waarden leiden. Men dacht ook niet slechts aan een kerkgebouw, want rondom de kerk moest een heel complex van sociale instellingen komen: scholen, werkplaatsen, vergaderruimten - in kerkelijke zin moest het een net zo groot project worden als het arbeidersproject van Mataró, waarmee Gaudí zich kort daarvoor al intensief had beziggehouden.

Men dacht in eerste instantie niet aan Gaudí; daarvoor was hij te jong en te onbekend. De opdracht ging naar de architect Francisco de Paula de Villar, bij wie Gaudí al in zijn studententijd, o.a. aan de kerk van Montserrat, gewerkt had. Villar maakte een neogotisch ontwerp en begon toen met de graafwerkzaamheden voor de crypte. Maar toen ging hij in overleg met

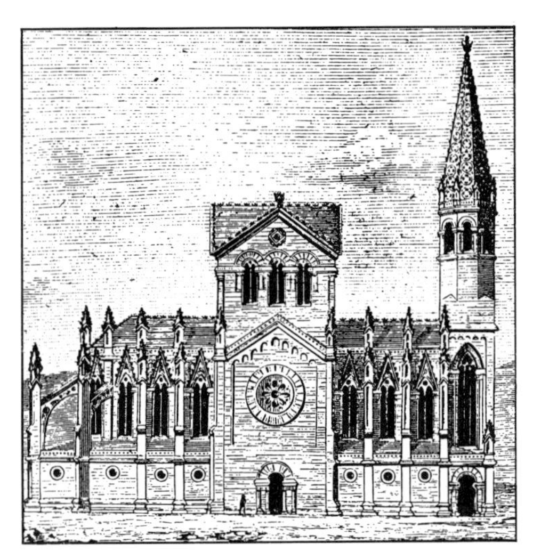

Boven: vooraanzicht van de Sagrada Familia, zoals Francisco de Paula de Villar de kerk ontwierp. De neogotische invloeden in de steil omhoogrijzende bogen zijn onmiskenbaar.

de vereniging en trok zich terug. Over de reden waarom men daarna uitgerekend Gaudí deze belangrijke opdracht gaf, kunnen we slechts speculeren. Misschien had hij het te danken aan zijn werk in Montserrat of misschien ook aan de architect Juan Martorell. Deze zou de opdracht namelijk overnemen omdat hij de belangrijkste vertegenwoordiger van de neogotiek was in Catalonië. Martorell weigerde de opdracht. Met hem had Gaudí begin tachtiger jaren samengewerkt, waarbij hij ontwerpen had gemaakt die een mengeling vertoonden van de neogotische stijl en de Spaanse keramische traditie. Misschien hadden deze proeven de doorslag gegeven, maar in ieder geval nam Gaudí op 3 november 1883 het werk van Villar over en begon daarmee aan een bouwwerk waarmee hij zijn hele leven, en in de laatste jaren uitsluitend, bezig zou zijn.

Tot op dat moment moest Gaudí zich als architect nog bewijzen. Toch lijkt het erop dat deze opdracht een goede aanzet was voor zijn carrière. Nog in hetzelfde jaar volgen twee andere grote projecten. Meteen met zijn eerste bouwwerk sloeg Gaudí nieuwe wegen in de architectuur in.

De steenfabrikant Manuel Vicens i Montaner had Gaudí al in 1878 de opdracht voor een woonhuis gegeven. In 1883 begonnen de werkzaamheden in de Calle Sant Gervasi in Barcelona (nu de Calle les Carolines). Wanneer men op zoek gaat naar stijlelementen komt men in moeilijkheden, omdat men zijn indruk steeds moet herzien. Het is geen bijzonder origineel gebouw. De aantrekkelijkheid is te vinden in de gevels en in de ruimten binnen. Er is een duidelijke Moorse invloed te zien; op het dak staan kleine torentjes die aan de minaretten van moskeeën doen denken. Fijne tegelpatronen wekken de indruk van de filigrane traliewerken van de Moorse gebouwen. In het huis herhaalt zich de ornamentele indruk van de tegelwanden. Toch is dit geen imitatie van de Moorse bouwkunst. Gaudí liet zich inspireren en schiep zijn eigen ornamenten. Daarom kan men minder van een Moorse dan van een mudejarstijl spreken (mudéjar was een soort mengvorm van de Spaanse en de Moorse bouwkunst). In de rookkamer is de Moorse stijl nog het meest zuiver gebleven.

Onder: de Plaza de Toros, die Emilio Rodriguez Ayuso in Madrid bouwde - een voorbeeld van de in die tijd in de mode rakende mudejarstijl.

De 'Moorse' periode

Het opvallendste aan dit werk is het gebruik van verschillende materialen. Gaudí combineerde ruwe natuursteen met keramiektegels. Deze vermenging van ornamenteel werkende tegels en goedkope steen keert in zijn bouwwerken steeds terug. En er is nog iets dat zich bij dit eerste grote werk van Gaudí aankondigt: het werk werd pas na vijf jaar beëindigd. Hier tekent zich Gaudí's 'organische' bouwwijze af, waarbij de ene nieuwe inval op de andere volgt. De kosten brachten de opdrachtgevers soms aan de rand van de ondergang. Maar het werken met tegels van Gaudí leidde in Catalonië tot een modegolf. Vicens werd daardoor in de jaren die volgden rijkelijk schadeloos gesteld, want hij fabriceerde grote hoeveelheden van deze tegels.

In dezelfde tijd als het huis Vicens bouwde Gaudí een landhuis in Comillas, in de buurt van Santander, dat dezelfde stijl heeft maar veel fantasievoller is. Ook hier ziet men een onderstuk uit ruwe natuursteen, maar daarop verheffen zich met kleurige tegels versierde muren. De Moorse invloed is hier nog sterker. Als een minaret rijst een slanke toren op, die - een idee van Gaudí - van een 'deksel' is voorzien. Maar wanneer we beter kijken is de Moorse indruk maar schijn. De tegels vormen een typisch Europees patroon: een zonnebloemachtige bloem. Doordat dit motief steeds weer opduikt, begint het op een Arabisch bouwprincipe te lijken, want juist de herhaling beheerst de Arabische architectuur. Niets aan dit gebouw is uniform. Daarom draagt het zijn naam ook met recht: 'El Capricho' - de kuur of de gril. Het is niet het enige huis van Gaudí dat een bijnaam kreeg. Het huis Milà noemde men graag 'La Pedrera' - de steengroeve -, ook hier niet zonder reden.

Maar voorlopig overheerst bij Gaudí nog de Moorse lijn, ook al is bij El Capricho al niet precies uit te maken of de toren aan Moorse of aan Perzische voorbeelden herinnert.

Nog tijdens het werk in Comillas en Barcelona verdiepte Gaudí een persoonlijke bekendheid die zijn werk bijna zo lang zou beïnvloeden als het werk aan de Sagrada Familia duurde.

Door de wereldtentoonstelling in Parijs, waar ook projecten van Gaudí te zien waren, werd hij opgemerkt door een man wiens persoonlijkheid

Het Casa Vicens, dat Gaudí tussen 1883 en 1888 aan de Calle des Carolines in Barcelona bouwde. De contrastrijke tegelornamenten, die zich vooral op de hoeken en de torens van het gebouw bevinden, herinneren aan de Moorse architectuur. Maar Gaudí gaf de ornamenten op zijn eigen manier vorm. Al bij dit eerste 'Moorse bouwwerk' van Gaudí is zijn eigenzinnige omgang met historische voorbeelden te zien.

De oostelijke gevel van El Capricho. Gaudí bouwde dit herenhuis voor Don Máximo Díaz de Quijano van 1883 tot 1885. Vanuit het oosten gezien lijkt het huis op een conventioneel woonhuis, maar de vermenging van baksteen en groengele tegelornamenten laat een voorkeur zien voor de fantasievolle mudejarbouwstijl, waarnaar de voorgevel van het huis gevormd is.

vele overeenkomsten vertoonde met die van de jonge architect: Eusebi Güell i Bacigalupi.

De grote beschermer Güell

Güell was een typische verschijning van het nieuwe Catalonië. Hij was vermogend geworden in de textielindustrie. Door zijn reizen naar Engeland was hij in contact gekomen met nieuwe stromingen in de kunst en met de nieuwe sociale hervormingsgedachten. Gaudí was al snel een graag geziene gast in het voor kunstenaars altijd openstaande huis Güell. Misschien is Gaudí pas door Güells bibliotheek vertrouwd geraakt met de invloedrijke geschriften van William Morris en John Ruskin. In elk geval kwam hij daar met de eerste uitingen van de Jugendstil in aanraking, want tijdens de gezellige avonden daar werden gedichten van de prerafaëlieten, vooral van Dante Gabriel Rossetti, voorgelezen, die zowel wat de schilder- als de dichtkunst betreft een terugkeer propageerden naar de Middeleeuwen en die vooral door middel van rijke ornamenten van de strenge classicistische kunstregels af wilden.

Güell werd in 1910 in de adelstand verheven, maar voor Gaudí was hij daarvoor al de belichaming van het adellijke. De ware adel, zo zei hij een keer, uit zich in een grote sensibiliteit, voorbeeldig gedrag en een goede positie. Dat alles vond hij in Güell, die in Gaudí weer zijn ideaal zag: de verbinding tussen kunstenaarschap en sociaal engagement.

Al in 1883 ontwierp Gaudí voor Güell een jachtpaviljoen in Garraf, dat dezelfde elementen bevatte als de huizen Vicens en El Capricho: de verbinding van ruwe steen en tegels. Het werd niet gebouwd. In het jaar 1884 verbouwt hij het huis van Güell in Barcelona. Ook hier de Moorse invloed: bijvoorbeeld de torentjes op de ruiterhal. Maar ook zijn er nieuwe tendensen waar te nemen. Aan de tuinpoort is te zien dat Gaudí de uit het noorden komende invloeden van de Jugendstil heeft verwerkt. Binnenin de paardestallen - waar tegenwoordig de Gaudí-leerstoel van de Technische Hogeschool voor Architectuur is ondergebracht - zijn onmiskenbaar de neogotische elementen te zien die Gaudí in de volgende jaren tot in het perfecte zou ontwikkelen.

De eerste resultaten van deze nieuwe richting zijn te zien in het eerste grote project voor Güell. In 1886 begint Gaudí aan het grote woonhuis voor de fabrikant in Barcelona, dat tot een waar paleis uitgroeit. Hier treedt voor het eerst de karakteristieke werkwijze van Gaudí op de voorgrond. In plaats van met vaste plannen aan een bouwwerk te beginnen, werkt hij tijdens de bouw steeds verder. Net zoals de planten in de natuur tijdens de groei veranderen, zo groeien de bouwwerken van Gaudí. Oorspronkelijk zou aan de buitenkant van het gebouw voor de Wagneriaanse muziekliefhebber Güell een muziekkamer worden ingericht. Maar deze muziekruimte moet van bouwfase naar bouwfase belangrijker geworden zijn, waardoor het uiteindelijk een zich over drie verdiepingen uitstrekkende ruimte in het midden van het gebouw werd. Met een soort 'keldergarage' voor paardenkoetsen en een waar 'woud' van rijkversierde, grappige schoorstenen is het paleis werkelijk een uitdrukking van de fantasie geworden, terwijl toch steeds weer historische stijlelementen opvallen, zoals de talrijke metalen ornamenten in Jugendstil en de aan de gotiek herinnerende spitsbogen.

Eusebi Güell i Bacigalupi, de grote vriend en beschermer van Gaudí. Voor Güell ontwierp Gaudí al in 1883 een jachtpaviljoen bij Sitges. Daarop volgden nog vijf andere opdrachten. Op de foto zien we de gelovige katholiek en beschaafde industrieel in het jaar 1915, toen hij al in de adelstand was verheven.

De 'gotische' periode

Onvergelijkbaar strenger, 'gotischer', zijn de beide andere bouwwerken die in dezelfde jaren ontstonden - en niet toevallig gaat het hier om sacrale gebouwen. Aan het Colegio Teresiano in Barcelona kon Gaudí alleen nog de bovenste verdieping afmaken, want de bouw was al begonnen. Het gebouw vertoont de strenge vormen van de zuivere neogotiek, maar wel in de bijzondere uitleg van Gaudí. Want van zijn grote voorbeeld Viollet-le-Duc had Gaudí als student al geleerd dat de stijlen uit het verleden konden inspireren, maar niet nagemaakt moesten worden. Dat sprak Gaudí, die de gotiek wel fascinerend maar ook onvolledig vond, wel aan. Het gebrek zat voor hem vooral in de constructie.

De luchtbogen -onmisbare bestanddelen van de gotische architectuur-waren voor Gaudí zuiver hulpmiddelen om het gewicht van de gewelven op te vangen. Hij betitelde ze verachtelijk als 'krukken'. Hij wilde het zonder krukken doen. Het eerste teken daarvan zien we in de

Het bisschoppelijk paleis van Astorga in León behoort tot de bouwstijl van Gaudí's tweede periode: de neogotische stijlelementen zijn herkenbaar, maar Gaudí vermeed het zijn historische voorbeelden te imiteren.

oprijzende paraboolbogen die de bovenste verdieping van het Colegio Teresiano dragen. Als een terugkeer naar de Middeleeuwen werken dan de machtige gevels van een woonhuis in León, waarvan de grote muren alleen doorbroken worden door spitsbogenvensters, net als bij het grote bisschopspaleis van Astorga. Maar hier kondigt zich reeds het bouwelement aan waarmee Gaudí het 'gebrek' in de gotische bouwstijl overwon: de scheve bouwpijlers.

Dat alles eist alle energie van Gaudí op, vooral omdat hij al die jaren naast al het andere doorwerkt aan de Sagrada Familia. Er blijft nauwelijks tijd voor een privéleven over. Hij is nooit getrouwd, hoewel het er twee keer bijna van gekomen is. Later zei hij dat hij zich nooit tot het huwelijk geroepen heeft gevoeld. Maar als de jonge Amerikaanse, die hij toevallig ontmoette toen hij kathedralen bekeek, niet al verloofd was geweest, was hij misschien geen vrijgezel gebleven. Ze moet hem nog jaren na de ontmoeting beziggehouden hebben. Het schijnt dat hij, toen hij 32 jaar was, zelfs een keer verloofd was. Maar dit zijn alleen maar geruchten. Het toont wel aan dat Gaudí alleen voor zijn architectuur leefde.

Op weg naar een eigen stijl

Na het korte intermezzo van de strenge gotiekachtige bouwwerken ontwikkelt hij zijn eigen stijl. Hij verwijdert zich steeds verder van elke imitatie. Er zijn nog wel wat herinneringen te vinden, vooral aan de Jugendstil. Misschien is dat het meest opvallende aan het woonhuis dat hij in 1898 voor de erven van Pere Màrtir Calvet bouwt in Barcelona. Met dit huis begint Gaudí's concentratie op 'zijn' stad, Barcelona. Behalve wat studiereizen had hij weinig gereisd. Verder concentreerde hij zich op: Santander, op León (met het bisschopspaleis van Astorga en het Casa de los Botines) en op Barcelona. De verbouw van de kathedraal van Palma de Mallorca was een grote uitzondering, maar ook een uitdagend project. Bij dit 'hoofdwerk' van de Spaanse neogotiek moest Gaudí het koor uit het middenschip verwijderen en in de altaarruimte plaatsen. Daardoor zou het oprijzende aspect van de gotische ruimte beter zichtbaar worden. Het was een opgave die Gaudí, doordat hij zich intensief had beziggehouden met de bouwprincipes van de gotiek, bijzonder moest fascineren.

Colegio Teresiano, het middenportaal op de begane grond. Hier ontwikkelde Gaudí zijn concept voor de paraboolboog.

Gaudí had naam gemaakt in de bouw van kerken; zijn leerlingen (en ook vurige vereerders) verbreidden zijn roem. Met het Casa Calvet en het Casa de los Botines had hij zich in de constructie van woonhuizen kunnen oefenen. Er bleef hem nog één grote ontdekking over, en weer kwam de gelegenheid daarvoor van Eusebi Güell.

Gaudí kreeg zijn opdachten vrijwel altijd via persoonlijke contacten. De opdracht om het bisschopspaleis in Astorga te bouwen zou hij zonder de invloed van bisschop Juan Bautista Grau waarschijnlijk niet hebben gekregen. Deze bisschop kende Gaudí al lang: voor hij bisschop werd in Astorga, werkte hij in Tarragona, en hij kwam uit Reus. Toen Grau tijdens de bouw overleed, ontstonden er ook onmiddellijk meningsverschillen tussen de architect en het bestuur. Gaudí legde het werk neer. Zijn opvolgers veranderden de bouwtekeningen, waar meerdere instortingen het gevolg van waren. De constructies van Gaudí konden niet zomaar even veranderd worden.

Finca Güell, met de ventilatietorens op het dak van het portiershuis. Aan het eind van de tachtiger jaren ontwikkelde Gaudí bij zijn tweede opdracht van Güell een zeer eigen fantasierijke vorm voor de noodzakelijke ventilatie-openingen op het dak. Bij Gaudí zijn de kleine ventilatietorens tot bijna surrealistisch aandoende sculpturen of grappige 'kerktorentjes' geworden.

Een park naar Engels voorbeeld

Met een nieuw, eerzuchtig idee van Güell breidde Gaudí zijn werkgebied uit. In Engeland was Güell betoverd geraakt door de tuinarchitectuur. Hij wilde iets dergelijks in Barcelona maken. Gaudí moest een tuinstad maken die geheel in harmonie zou zijn met het landschap. Van de geplande huizen zijn er maar twee gebouwd. Het Park Güell is een van de talrijke onvoltooide projecten van Gaudí.

Maar het eigenlijke park is veel belangrijker dan de twee villa's. Het is in de eerste plaats het eerste grote werk dat volledig de fantasie van de nu meer gerijpte architect in werkelijkheid omzet. Ook al waren de plannen nog veel eerzuchtiger dan wat uiteindelijk werd gerealiseerd, toch brak Gaudí hiermee alle grenzen van de tot dan toe bestaande architectuur open. De bouwwerken, vooral het grote terras in het midden, zijn gewaagde constructies. De vormgeving van de oppervlakken en de kanten getuigen van een vrijheid die tot op de dag van vandaag haar gelijke niet vindt.

Hier realiseert Gaudí voor het eerst zijn veelomvattende concept van het beroep van de architect. Zijn grote theoretische voorbeeld, John Ruskin, had er al voor gepleit dat de architectuur een synthese van de kunsten moest zijn. De architect moest gelijktijdig ook schilder en beeldhouwer zijn. In Gaudí was dit alles verenigd. De met gebroken keramische tegels versierde, eindeloos lange bank die zich in de vorm van een slang door het landschap slingert, werkt als een bont schilderij van Joan Miró.

Uit de keramiekstukken stelt Gaudí een bijna surrealistisch schilderij samen, zo men wil, een driedimensionaal schilderij middenin een landschap. Vanaf dat moment kende hij geen grenzen meer. Vastberaden bouwt hij aan zijn architectonische fantasieën, die ondanks alles altijd op een strenge constructie gebaseerd zijn.

Wanneer hij zich vervolgens weer op twee wooncomplexen toelegt, schept hij ook op dit gebied iets geheel nieuws. In de Passeig de Gràcia nummer 43 in Barcelona bouwt hij van 1904 tot 1906 een nieuw woonhuis. Terwijl het Park Güell de overvloedige fantasie laat zien van

Park Güell met een deelgezicht op het grote terras - een plaats voor ontmoeting - dat in een landschap vol weelderige begroeiing is ingebed.

een door kleuren betoverde architect, tekent zich in het Casa Batlló een architect af die zich steeds verder verwijdert van de architectuur als scheppende kunst van de mens. De groenachtig blauw glanzende gevel doet denken aan een zeeoppervlak met kleine schuimkraagjes. De vensterlijsten lijken uit met de hand geboetseerde klei gemaakt te zijn. Hoewel de gevel streng wordt ingetoomd door de beide nuchter geconstrueerde buurhuizen, lijkt het alsof hij in beweging is. Alles lijkt naar voren te komen en terug te wijken. Het dak lijkt met zijn grote aantal schoorstenen op een miniatuuruitgave van het Park Güell. In Barcelona werden de kamers nog apart verwarmd; er was dus geen centrale verwarming. Daardoor was Gaudí in de gelegenheid om talrijke schoorstenen als schitterende invallen op het dak te zetten.

De bevolking was verbijsterd; zoiets hadden ze nog nooit gezien. Het huis onttrok zich aan elke indeling. Maar de verbazing groeide nog bij het tweede grote project, dat in dezelfde straat op nummer 92 werd gebouwd. Hier is het niet meer een relatief smal huis, dat ingeklemd ligt in een hele rij. Gaudí bouwde daar een reusachtig hoekhuis. In tegenstelling tot het huis Batlló ontbreekt bij deze gevel iedere kleur, maar het zwellende aspect is nog versterkt. De ramen en de uitstekende ronde erkers hangen als honingraten aan de gevel. Men wordt herinnerd aan de in rotsen uitgehouwen holwoningen van Afrikaanse volkeren. Gaudí heeft hiermee het hoogtepunt van zijn organische architectuur bereikt, want dit gebouw lijkt vanzelf gegroeid te zijn. De gebruikelijke bakstenen of steunmuren ontbreken dan ook. Het huis lijkt meer op een reusachtig beeldhouwwerk dan op een huis in de gebruikelijke zin.

Juan Bautista Grau i Vallespinós, de bisschop van Astorga en net als Gaudí in Reus geboren. Hij hoorde tot Gaudí's grote beschermers en gaf hem tegen de wil van het college van bisschoppen opdracht tot het bouwen van het bisschoppelijk paleis in Astorga. Grau had wezenlijke invloed op Gaudí ten aanzien van zijn ideeën over de christelijke religie en de kerkelijke liturgie.

Het levenswerk

Waren de mensen door het Casa Batlló al verbijsterd geweest, het Casa Milà ging hun te ver. Men kon daar blijkbaar alleen maar met spot op reageren. Er verschenen talrijke bespottende benamingen in de kranten, zoals 'Steengroeve', 'Pasteitje' en 'Horzelnest', die de nuchtere naam Milà (naar de opdrachtgever Pere Milà i Camps) vervingen.

Wanneer we naar deze vergaande architectonische fantasie kijken, moeten we niet vergeten dat Gaudí ook steeds met de Sagrada Familia bezig was. Deze kerk was bij de dood van de architect nog niet klaar. Gaudí wist waar hij aan begonnen was. Hij stelde zich op in de grote traditie van de middeleeuwse kathedraalbouwers.

Een kathedraal wordt niet door één persoon gebouwd, maar is het produkt van meerdere generaties. De heilige Jozef zelf zal haar voltooien, zei Gaudí meestal. Dat het zo gegaan is, ligt niet alleen aan het eerzuchtige project, dat immers niet alleen een kerk maar een kleine gemeente moest worden. Het ligt ook aan het feit dat de kerk na het besluit om te bouwen uitsluitend door middel van giften tot stand moest komen - een kerk van de armen. Niet zelden liep Gaudí zelf geld op te halen om verder te kunnen gaan met de bouw. Vanaf 1914 weigert hij elke nieuwe opdracht en wijdt hij zich geheel aan de kerk. Aan het eind gaat hij zelfs in de werkplaats wonen. Geheel naar zijn gebruik bespreekt hij met de arbeiders op de bouwplaats hoe het verder moet. Daardoor verandert er veel in de loop der jaren.

De passiefaçade van de Sagrada Familia. Gaudí heeft het begin van de bouw van dit gedeelte niet meegemaakt. In 1952 werd begonnen met de bouw van de façade en in 1978 werden de torens voltooid. Op de foto zien we de torens vlak voordat ze klaar waren.

Over het ontstaan van de kerk kan een boek op zich worden geschreven. De kerk is de synthese van Gaudí's scheppingskunst. De bijzonder hoge paraboolvormige bogen zijn terug te vinden in de vorm van de reusachtige, slank omhoogrijzende torens. De bonte kleurigheid van het Park Güell vindt men terug in de bizarre uiteinden van de vier torens met de façade van de geboorte van Jezus. De kerk moest in ieder geval kleurig worden, want de natuur heeft ook meer dan een kleur, zo meende Gaudí. Wanneer iemand de mooie zandkleur van de natuurstenen gevels prees, zei hij laconiek: "Die worden nog geschilderd."

Met deze kerk ontwikkelde Gaudí vooral zijn theorie over de voltooiing van de gotiek. Er zijn noch steunpilaren noch luchtbogen. Zijn concept van de scheefstaande zuilen bleek goed te zijn. Het meest pregnant heeft hij deze scheve zuilen verwerkt in een crypte die hij voor zijn vriend Güell in zijn arbeiderswijk aan de rand van Barcelona bouwde.

Toen Gaudí in 1926 door dat tragische ongeluk stierf, liet hij een onvoltooid werk achter. Misschien past dat bij het wezen van zijn architectuur, die minder met vaste structuren werkt en meer een natuurlijk proces moet zijn. Gaudí liet geen kant en klare theorie na, maar meer bepaalde inzichten, die echter doorwerkten alsof het vaste modellen waren. Hij vond geen opvolger, niemand kon zijn werk overnemen. Altijd wanneer andere architecten een door hem begonnen bouwwerk overnamen, vervalsten ze de oorspronkelijke bedoelingen. Dat had tot gevolg dat de door Gaudí zo zorgvuldig ontworpen bouwwerken het niet lang volhielden. Zo had het bisschoppelijk paleis in Astorga onder verscheidene instortingen te lijden, maar de van hout gemaakte constructie in Gaudí's eerste grote project - de fabriekshal van Mataró - was zeer solide.

Een geniale constructeur

Het is moeilijk te bepalen wat Gaudí voor vormen had kunnen maken als hij moderne materialen, zoals gewapend beton, ter beschikking had gehad. Maar misschien had hij deze materialen ook geweigerd. Zo weigerde hij ook cement te gebruiken, hoewel dit bouwmateriaal hem wel ter beschikking stond. Hij gaf de voorkeur aan baksteen. Hoe extravagant zijn bouwwerken ook lijken, hoe kostbaar de oppervlakten ook mogen lijken wanneer ze door de zuidelijke zon beschenen worden, toch gebruikte Gaudí gewone bouwmaterialen. Hij greep steeds weer terug op de gewone handwerktraditie van zijn vaderland: de keramiek en de smeedkunst.

Een typisch beeld dat de Sagrada Familia nog steeds biedt: voltooide onderdelen van de bouw staan naast gedeelten waar net aan begonnen is.

Uit de meest eenvoudige materialen schiep hij ware wonderen. Misschien diende hem ook daar de natuur als voorbeeld. Hij verwijderde zich meer van het kunstmatige van de bouwstijlen. "Wilt u weten waar ik mijn voorbeeld vandaan heb?" vroeg hij eens aan een bezoeker van zijn werkplaats. "Van een echte boom; hij draagt zijn takken en deze de twijgen en die weer de bladeren. En elk deel op zich groeit harmonisch omdat de kunstenaar God hem geschapen heeft." In het middenschip van de Sagrada Familia maakte Gaudí een waar woud van zuilen, dat zich naar boven toe veelvuldig vertakt.

Toen Albert Schweitzer de in aanbouw zijnde kerk eens bezocht, legde Gaudí hem de voortgang uit aan de hand van het voorbeeld van de ver-

moeide ezel die de Heilige Familie naar Egypte brengt: "Toen bekend werd dat ik voor de vlucht naar Egypte een ezel nodig had, bracht men mij de mooiste ezels van Barcelona. Maar die kon ik niet gebruiken." Hij vond zijn ezel ten slotte voor de wagen van een vrouw die schuurzand verkocht. "Zijn kop hing bijna op de grond. Ik overreedde de vrouw met moeite om met mij mee te komen. Toen van de ezel deel voor deel een gipsafdruk werd gemaakt, huilde ze omdat ze bang was dat het dier dit niet zou overleven. Dat is de ezel van de vlucht naar Egypte, die indruk op je heeft gemaakt doordat hij niet bedacht, maar echt is."

De Sagrada Familia. Tekeningen van de kathedraal. Links de schets van Gaudí waarop eerder een sfeerindruk van het geplande bouwwerk te zien is. Rechts de eerste openbaar geworden volledige tekening van de kerk van Joan Rubió i Bellver uit 1906. Rubió was een van de architecten, met wie Gaudí graag samenwerkte.

Deze nabijheid tot de natuur onderscheidt Gaudí ook van de kunstenaars van de Jugendstil, bij wie sommigen hem graag rangschikken. Het ornament van de Jugendstil heeft wel natuurlijke vormen, maar het blijft zuiver ornamenteel en voor alles tweedimensionaal, een lijnvorm. Voor Gaudí echter bestond de natuur uit krachten die onder de oppervlakte werken. De oppervlakte was voor hem slechts de uitdrukking van deze innerlijke krachten. Zo onderzocht hij het gedrag van blokken steen onder grote druk. Hij plaatste ze onder een grote hydraulische pers, en kijk, de stenen barstten niet met een grote scheur van boven naar onder, maar ze dijden in het midden uit. Dit was een verschijnsel dat volgens Gaudí de oude Grieken al hadden ingezien, want zij maakten hun zuilen in het midden iets sterker dan aan de uiteinden.

Gaudí was een pragmatisch iemand. Ter onderscheid van de architecten van zijn tijd werkte hij niet aan het tekenbord. Hij was altijd op de bouwplaats te vinden, praatte met de arbeiders, overlegde, ontwierp en verwierp. Zijn tekeningen geven de indruk van impressionistische schet-

Sanctus
Sanctus
Sanctus
Sanctus
Sanctus
Sanctus

sen, niet van constructietekeningen. Gaudí experimenteerde voor hij bouwde. Voor de gewaagde boogconstructies van de kerk in de Colònia Güell ontwierp hij een model uit touw, waaraan aan de uiteinden zandzakjes met een verschillend gewicht, dat overeenkwam met de belasting die de zuilen en pijlers volgens de berekeningen moesten dragen, hingen. Daarmee kreeg hij een soort op de kop gezet model waarvan het beeld alleen maar omgedraaid hoefde te worden om de structuur van het latere bouwwerk voor ogen te hebben. Die manier van werken is tegenwoordig, tientallen jaren na het eerste experiment, niet ongebruikelijk. De arbeiders vroegen dikwijls hoe dat moest houden, maar het hield. Wanneer we de toilettafel bekijken, die Gaudí voor het Palacio Güell ontwierp, dan kunnen we ons dezelfde vraag stellen.

Alleen op het tekenbord hadden Gaudí's bouwwerken nauwelijks ontworpen kunnen worden. Dat ligt niet alleen aan de organisch werkende ruimtevorming; het ligt vooral aan Gaudí's specifieke ruimtegevoel, Gaudí's streven om van de traditionele muren af te komen. Zijn ideale huis was een organisch lichaam dat zelf scheen te leven. Hij voerde zijn ruimtevorming steeds op zijn afkomst terug, op het beroep van zijn voorvaderen. De smid is een man die uit een plat stuk metaal een lichaam kan scheppen. Daar is fantasie voor nodig. Voor hij aan het werk gaat, moet hij zich eerst een holle ruimte voorstellen. De beste bouwwerken van Gaudí zijn zulke holle ruimten. Wat een verschil is dat met bijvoorbeeld Mies van der Rohe, die juist met vlakken en muren als basiselementen werkte. Maar Van der Rohe's vader was metselaar, een man dus die niet uit vlak materiaal een holle ruimte schept, maar die van een vast lichaam iets wegneemt, afslaat.

Gaudí's praktische werkwijze had één groot nadeel. Hij was geen theoreticus en schiep geen school in de strenge zin van het woord. Ook staat er van hem, op enkele uitzonderingen uit zijn jonge jaren na, niets op papier. Het meeste wat men van hem citeert is gebaseerd op mondelinge uitingen. Daardoor raakte Gaudí's architectuur al snel na zijn dood op de achtergrond van de belangstelling. Bauhaus met zijn op functionaliteit gerichte bouwwijze werd toonaangevend en daarmee een bouwstijl die tegengesteld is aan het streven van Gaudí.

Twee voorbeelden van Gaudí's principe om in zijn bouwwerken natuurlijke vormen te gebruiken. Boven: een muur in het park Güell, die vooruitloopt op de palmen die zich erover heen buigen. Onder: de klokkentorens van de Sagrada Familia, die aan de vorm van schelpen doen denken.

Architectuur van de toekomst

Gaudí twijfelde niet aan de waarde van zijn architectuur voor de toekomst. Toen hem gevraagd werd of de Sagrada Familia een van de grote kathedralen zou zijn, antwoordde hij: "Nee, het is de eerste van een hele nieuwe serie." Deze voorspelling is in ieder geval nog niet uitgekomen. Hoewel Gaudí's invloed in de eerste helft van de 20ste eeuw minder werd, bleef zijn betekenis voor de Catalaanse beweging onverminderd groot. Toen een geleerde in 1925 aan de betekenis van de architect Gaudí twijfelde, ontstond er een storm van verontwaardiging en vier maanden verhitte discussies in de pers.

Juist onze tijd lijkt geschikt voor een intensieve terugblik op Gaudí's architectuur. Onze situatie is niet zo verschillend van de tijd waarin Gaudí zijn bouwwerken ontwikkelde. Ook wij wenden ons af van de grauwe gevels, de al te strakke lijnen. Er is weliswaar als duidelijke en extreme

Bladzijde 32: klokkentorens van de Sagrada Familia met op de achtergrond de onvermijdelijke bouwkraan.

Een foto van het model aan de hand waarvan Gaudí de zuilenstructuur van de kerk uitprobeerde.

reactie nog niet zoiets als een Jugendstil ontstaan, maar Gaudí's opmerking over zijn Casa Batlló zou een voorspelling voor onze toekomst kunnen zijn: "De hoeken zullen verdwijnen en de materie zal zich rijkelijk in haar astrale rondingen openbaren; de zon zal aan alle kanten binnendringen en het zal een paradijselijk beeld zijn."

We horen nu stemmen opgaan die niet zoveel daarvan verschillen. Tijdens de Internationale Handwerksmesse in München in 1974 prees Josef Wiedemann het werk van Gaudí in gelijke bewoordingen: "Zijn bouwwerken zijn weldadige oasen in de geestdodendheid van de zakelijke bouwstijl, edelstenen in de grijze eenvormigheid van de rijtjeshuizen, ze zijn van een melodisch ritme vervulde scheppingen in de dode massa van de omgeving."

Gaudi's werk bleef een romp. De Sagrada Familia is daar bijna het symbool voor. Ze is meer dan alleen een voorbeeld van de grandioze religieuze en architectonische visie van Gaudí - ze brengt zijn scheppingskunst als een vitaal verder werkend monument in onze tijd binnen.

Zelfs nu is niet bekend wanneer de kerk klaar zal zijn; alleen al aan de westelijke façade heeft men dertig jaar gewerkt. Toen Gaudí stierf, liet hij hoogstens aanzetten na voor een bouwwerk, dat meer in zijn fantasie dan in de werkelijkheid bestond. Kort na de dood van Gaudí bezocht de Japanner Kenji Imai Europa om verschillende metrostations te bekijken. Zijn indruk van de Sagrada Familia geeft een beeld van het fragmentarische karakter: "De façade van de dwarsbeuk aan de noordoostelijke zijde en de muur van het koor aan de noordwestelijke kant waren klaar, maar de gewelven niet. Men keek dus direct in de grijze lucht. ... De paraboolvormige, honderd meter hoge klokkentorens richten zich paarsgewijze boven de drie gevels uit als in een druipsteengrot. De steigers stonden tot aan de torenspitsen. De in de kolossale steenmassa gebeeldhouwde woorden 'Hosanna' omgaven de hoge torens... Bij het regenachtige afscheid van de kathedraal was mijn hart zeer treurig..."

Het eerste Glorierijke Mysterie in Montserrat: de opstanding van Christus. Gaudí kreeg in 1891 van de Lliga Espiritual de Nostra Dona de Montserrat de eervolle opdracht om dit beeldhouwwerk te maken. Het hoort niet bij de meest belangrijke werken van Gaudí, maar het toont wel zijn toenemende betrokkenheid bij de religie en zijn nationalistische gerichtheid aan: boven de beeldengroep ziet men de nationale kleuren van Catalonië. Zijn vormgeving van de Jezusfiguur stootte op protesten en Gaudí trok zich - zoals zo vaak - uit het werk terug.

B 5073·CJ

Boven: balkon van een hoektoren (links). Een van de kroonvormige torendeksels op het dak (rechts).

Bladzijde 37: blik vanuit de Calle les Carolines op de naar de tuin gekeerde gevel (links) en de straatgevel.

Toen de steen- en tegelfabrikant Manuel Vicens in 1878 Gaudí de opdracht gaf een zomerhuis te bouwen, had de jonge architect nog geen praktijkervaring. Hij had pas op de 15de maart zijn benoeming als architect gekregen. En ook toen Gaudí in 1883 nogal verlaat met de bouw begon had hij deze ervaring nog niet opgedaan. Een woonhuis bouwen was nieuw voor hem. Daar kwam bij dat de opgave niet bepaald eenvoudig was. Het stuk grond was niet bijzonder groot en het huis moest tussen een rij gewone gebouwen komen te staan.

Wat de architectonische structuur betreft is dit dan ook niet een van Gaudí's meest bijzondere werken. Vergeleken met de complexe ruimtelijke vormgeving van later werk is dit huis vrij eenvoudig. De beide verdiepingen zijn op grond van de doorlopende muren ongeveer gelijk ingedeeld. De vorm is in feite rechthoekig; alleen naar de ingang toe, die Gaudí van een kleine voorhal voorzag, steekt de eetkamer iets uit. En toch toont het Casa Vicens al aan dat Gaudí een architect is die fantasie met eigenzinnigheid verbindt. Verder werd al snel duidelijk hoe praktisch Gaudí dacht. Hij zette bijvoorbeeld het hele gebouw op het achterste deel van het grondstuk. Daardoor kon de tuin aan één stuk blijven en lijkt hij groter dan hij eigenlijk is.

De conventionele rechthoekige vorm van het huis wordt op deze manier al een beetje verhuld. De weelderige versiering van de gladde gevel met talrijke kleine vooruitspringende erkers en de vormgeving daarvan doen de rest. De muren lijken kleine kostbaarheden te zijn, hoewel Gaudí gebruik maakte van eenvoudige materialen. De basis bestaat uit okerkleurige natuursteen, gecombineerd met baksteen. Alleen al dit contrast heeft een mooi effect. De op zich heel gewone bakstenen worden - tegen de ruwe natuursteen gezet - tot iets bijzonders. Maar het fascinerende dankt de buitenkant van dit huis aan het weelderige gebruik van bonte keramiektegels, die zich bijna als lijsten door de muren lijken te trekken en die deels in het patroon van een schaakbord zijn geordend. Uit de verte bekeken doen deze geometrische ornamenten denken aan Arabische bouwwerken, waarbij al in dit vroege werk niet precies uit te maken valt of het geen Perzische motieven zijn. Gaudí speelt hier al zijn karakteristieke spel met de ornamenten, want wanneer men dichterbij komt, ontdekt men de meer Spaanse motieven: talrijke tegels zijn met heldere oranjekleurige afrikaantjes beschilderd, die ook overal in de tuin groeien. Ook de kleine torentjes op het dak doen vaag aan de Moorse bouwstijl denken. Het door Gaudí ontworpen smeedijzeren tuinhek, waarvan het zich steeds herhalende grondelement een palmblad voorstelt, herinnert eerder aan de invloed van de Jugendstil.

Het Casa Vicens is een collage van heel verschillende stijlen. Als dit huis iets karakteristieks heeft, dan is het de stijlbreuk. Hoe moeten we anders de kleine figuren aanduiden die als engelfiguren op de kleine balkonrand zitten? Het Casa Vicens laat zien hoe door vormgeving van de oppervlakte en rijke ornamentiek uit een gewoon bouwwerk een kasteeltje kan groeien.

Bladzijde 40: deur in de zuidwestelijke gevel. De muur bestaat uit grove natuursteen en is versierd met tegels, waarvan het patroon door Gaudí zelf ontworpen is.

Bladzijde 41: de schoorsteen van de eetkamer. Op de wandvlakken zijn vogels en twijgen afgebeeld.

Onder: ter afwisseling met het schaakbordpatroon van groenblauwe en witte tegels gebruikte Gaudí bonte tegelbanden, waarop het bloempatroon zich steeds herhaalt.

Boven: plafond van de aan de eetkamer grenzende galerij.

Bladzijde 42: de eetkamer. De meubelen hebben meteen een functie als wanddecoratie. In de ruimte tussen de plafondbalken hangen vruchtenreliëfs in een weelderige vorm. De kleine wandvlakken zijn versierd met bloem- en bladmotieven.

Bladzijde 43: de rookkamer. Aan het plafond hangen als in een druipsteengrot stalactietachtige vormen. Het bovenste deel van de wanden heeft een gekleurd reliëf dat uit geperst karton bestaat. Voor het onderste deel van de wand zijn blauwe en goudkleurige tegels gebruikt.

Bladzijde 46: plafond van de eetkamer. Het stucwerk tussen de houten balken stelt kersen en kersentakjes voor.

Bladzijde 47: het plafond van een kleine kamer op de eerste verdieping is zo geverfd dat het op een koepel lijkt.

De prachtige ornamentering zet zich in het huis voort. Ook hier zien we een verbluffende stijlvermenging, die toch ook steeds de indruk van stijlzuiverheid wekt - of in ieder geval voor even. Een blik op de details geeft de kijker een ander idee. Zo kan de rooksalon nog het meeste aan een klein Moors kabinet doen denken. In het midden staat een waterpijp; daaromheen staan weelderige zit- en ligbanken gegroepeerd. Maar ook hier bestaat de wandbekleding, net als buiten, uit realistische bloempatronen en de stalactietdruiven, die van het plafond naar beneden hangen, zijn beslist niet van Moorse oorsprong.

De eetsalon - de meest weelderig ingerichte ruimte van het hele huis - doet het sterkst aan de Jugendstil denken. Kostbaar stucwerk met kersentakmotieven vullen de ruimtes tussen de brede houten balken. De wanden - in een warme bruine kleur gehouden - zijn versierd met klimoptakken en de deurkozijnen zijn beschilderd met vogelmotieven.

De fantasie van Gaudí schijnt geen grenzen gehad te hebben. Hij bediende zich speels van de meest verschillende vormen - als ze maar ornamenteel zouden werken. Zelfs de in de barok gebruikelijke, in perspectief geschilderde pseudokoepel ontbreekt niet. De uitvoering ervan is schitterend. Men gelooft een ogenblik werkelijk in de lucht te kijken en de vogels te kunnen zien vliegen. Pas bij een tweede blik ziet men het ware karakter van deze plafondversiering.

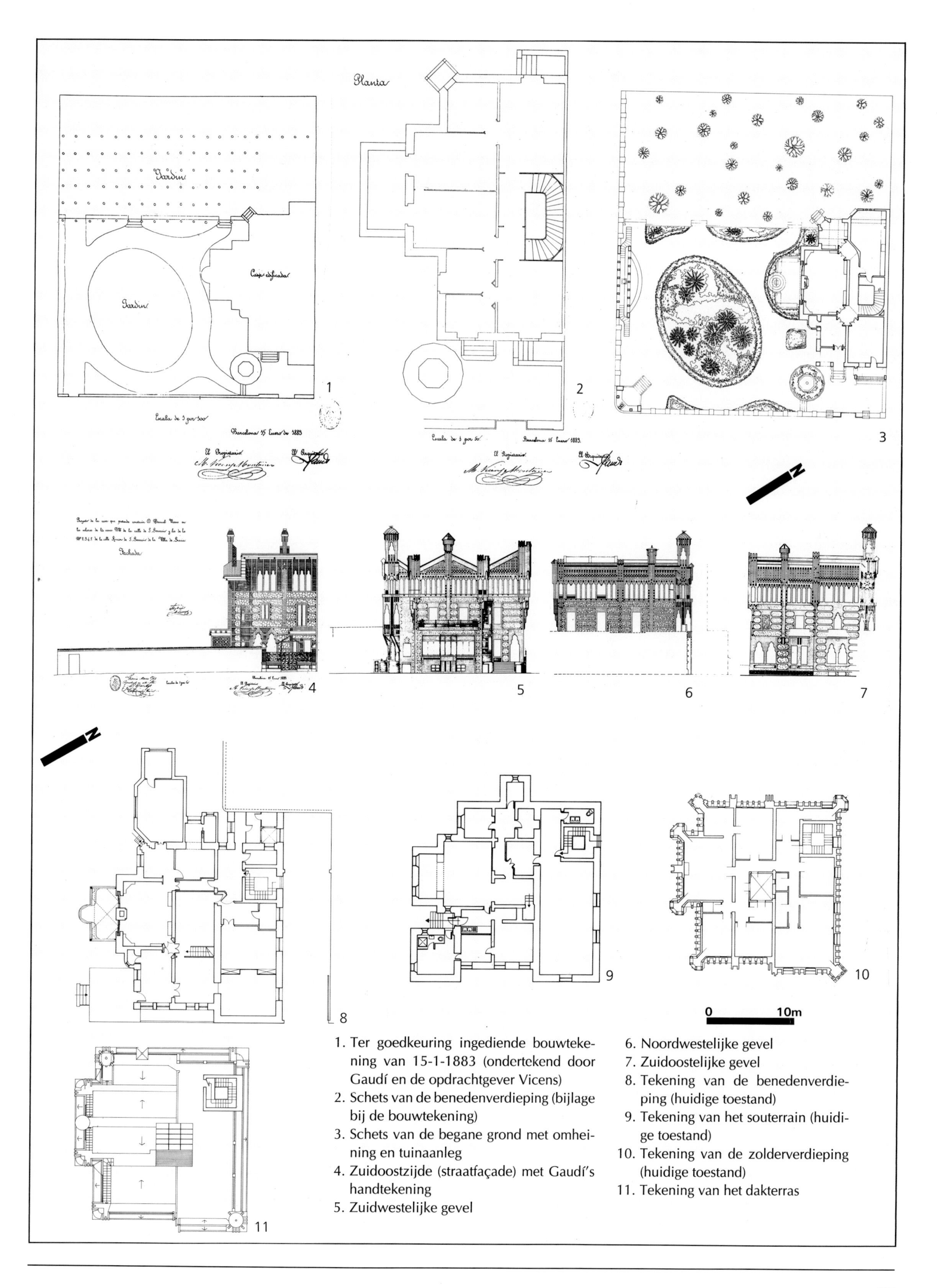

1. Ter goedkeuring ingediende bouwtekening van 15-1-1883 (ondertekend door Gaudí en de opdrachtgever Vicens)
2. Schets van de benedenverdieping (bijlage bij de bouwtekening)
3. Schets van de begane grond met omheining en tuinaanleg
4. Zuidoostzijde (straatfaçade) met Gaudí's handtekening
5. Zuidwestelijke gevel
6. Noordwestelijke gevel
7. Zuidoostelijke gevel
8. Tekening van de benedenverdieping (huidige toestand)
9. Tekening van het souterrain (huidige toestand)
10. Tekening van de zolderverdieping (huidige toestand)
11. Tekening van het dakterras

Casa El Capricho

1883 - 1885

Hoe men ertoe kwam dit huis El Capricho te noemen - een kuur, een gril, iets buitenissigs -, is nu niet meer te achterhalen. Als het gekomen is door de speelse indruk die het huis wekt, is de naam terecht. Alsof het toevallig uit de lucht is komen vallen, uit een andere wereld komt, zo staat het huis midden in een kleine groene omgeving in Comillas bij Santander. Het is de poging van Gaudí om een verbinding te scheppen tussen de Middeleeuwen, de bloeitijd van Catalonië, en de gratie van de oosterse invloeden. Het staat er wat onbeholpen bij: een compact gebouw met gelijkmatige tegelpatronen in de bakstenen muren. Zelfs de toren is met van zijn dikke zuilen met de duistere Middeleeuwen verbonden. Maar dan ineens verheft zich als een opgestoken wijsvinger de slanke, rijkversierde toren in de lucht en het kleine dak, dat er als een kroon boven hangt, lijkt alle aardse zwaarte van zich af te willen werpen.

Bladzijde 49: het herenhuis El Capricho ('De gril'), dat Gaudí voor een rijke vrijgezel bouwde, staat midden tussen het groen.

Bladzijde 51: de zuilenhal is aan drie kanten via trappen toegankelijk. Gaudí heeft hier zijn eigen vrije uitleg gegeven aan de Attische zuilvorm. De ronde boog, waarin de zuilen overgaan, heeft een eigenaardige vorm.

Eigenlijk had het Casa Vicens al de bijnaam 'El Capricho' kunnen krijgen. Beide bont versierde huizen, die bijna gelijktijdig werden gebouwd, herinneren aan Moorse bouwwerken. Misschien komen ze daardoor zo overeen. De steeds weer verrassende erkers en ronde uitsteeksels en de opvallende torentjes op het dak van het Casa Vicens, hebben een veel grilliger effect dan het herenhuis dat Don Máximo Díaz de Quijano in Comillas, een kleine plaats bij Santander, liet bouwen. Ook hier was het grondstuk niet zo groot, maar dit huis staat als een eiland verankerd tussen het groen. Ook hier bereikte Gaudí de Moors-ornamentele werking door het gebruik van tegels met Spaanse bloemmotieven. In plaats van afrikaantjes zijn het hier zonnebloemachtige motieven. De ornamenten van El Capricho zijn strenger, minder fantasierijk en minder kleurig. De opbouw bestaat steeds uit negen rijen baksteen, waarop dan een bloemenrij volgt. Dat geeft een bijzonder rustig ritme.

'Wispelturig' (zo kan men de naam 'Capricho' ook nog zien) is de steil oprijzende minaretachtige toren in ieder geval niet. Hij heeft geen enkele functie voor het huis en dient alleen als versiering. Als 'grillig' zou men ook de op de hoeken uitstekende kleine balkons kunnen zien, waarvoor Gaudí nog een opvallend hekwerk en 'dak' van dikke vierkante ijzeren staven maakte. Hoe weinig functie ze ook lijken te hebben, Gaudí verbond er nog een kleine verrassing aan. Aan twee van de ijzeren staven van dit hekwerk bracht hij de voor de schuiframen noodzakelijke tegengewichten aan, zodat de staven bij het openen en sluiten van het raam in beweging raken en zeldzame tonen produceren.

Maar hoe nuchter de ornamenten ook zijn in vergelijking met het kleurige Casa Vicens, de architectonische structuur van dit herenhuis (voor een vrijgezel) is vrijer en speelser. Wanneer men zich naar de ingang

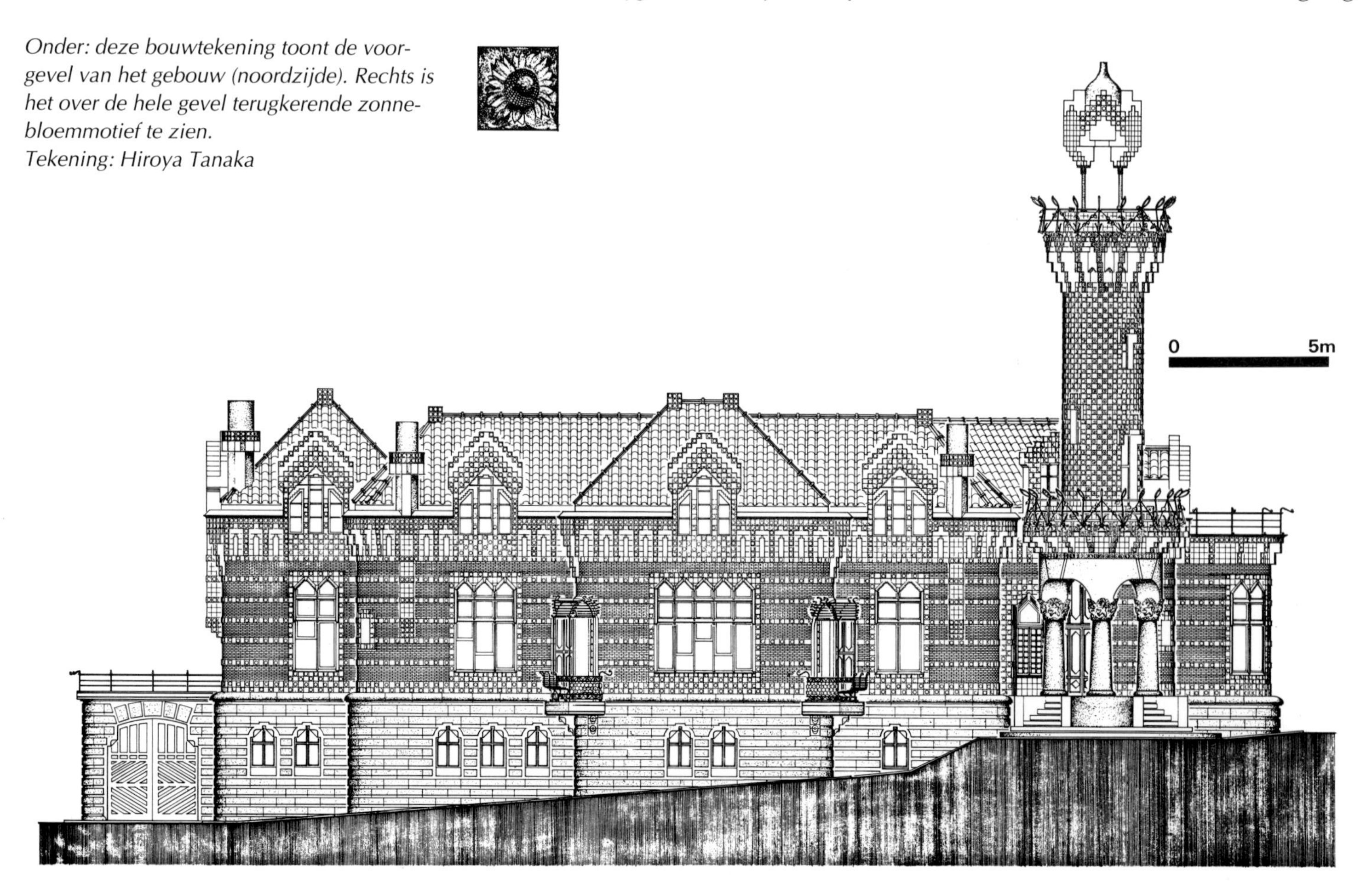

Onder: deze bouwtekening toont de voorgevel van het gebouw (noordzijde). Rechts is het over de hele gevel terugkerende zonnebloemmotief te zien.
Tekening: Hiroya Tanaka

begeeft, ziet men al snel een van de 'grillen' van dit huis. De deur is bijna verstopt achter vier relatief dikke zuilen, die via een filigraan gevormd kapiteel in drie wat stroef gevormde ronde bogen overgaan. Boven dit portiek stijgt de toren omhoog. Maar bij alle virtuose grilligheid van het bouwwerk komt ook de praktische Gaudí tot zijn recht. Het dak - een onderdeel dat steeds de bijzondere belangstelling van de architect had - is in dit geval vrij nuchter en opvallend steil. Daarmee hield hij rekening met het weer in die streek, waar in verhouding veel regen valt.

De ruimtelijke indeling onderscheidt zich wezenlijk van die van het Casa Vicens. Ze is geheel toegesneden op de behoeften van een rijke vrijgezel. Terwijl bij het Casa Vicens de eetkamer in het middelpunt staat - die groter is dan de andere kamers - bestaat El Capricho maar uit één verdieping en vindt men daar vooral ruimtes die geschikt zijn voor de sociale omgang: meerdere slaapkamers (dus ook voor gasten), een ontvangstzaal en een grote, zeer hoge salon. Deze salon (een soort wintertuin) is het middelpunt; de andere ruimtes liggen daaromheen gegroepeerd. Ook de lichttoevoer is anders dan bij het Casa Vicens, dat in verhouding tot de grootte relatief weinig ramen heeft. Dat geeft een weldadige warmte aan de kamers. El Capricho daarentegen is vol licht. De wanden van de salon bestaan voor een groot deel uit reusachtige ramen die slechts door houten posten van elkaar gescheiden zijn. Alleen daardoor lijkt de ruimte al groot. Daar komt dan de hoogte nog bij. De salon

Onder: plafond van de eetkamer. Bladzijde 53 onder: plafond van de badkamer, van hout en marmer.

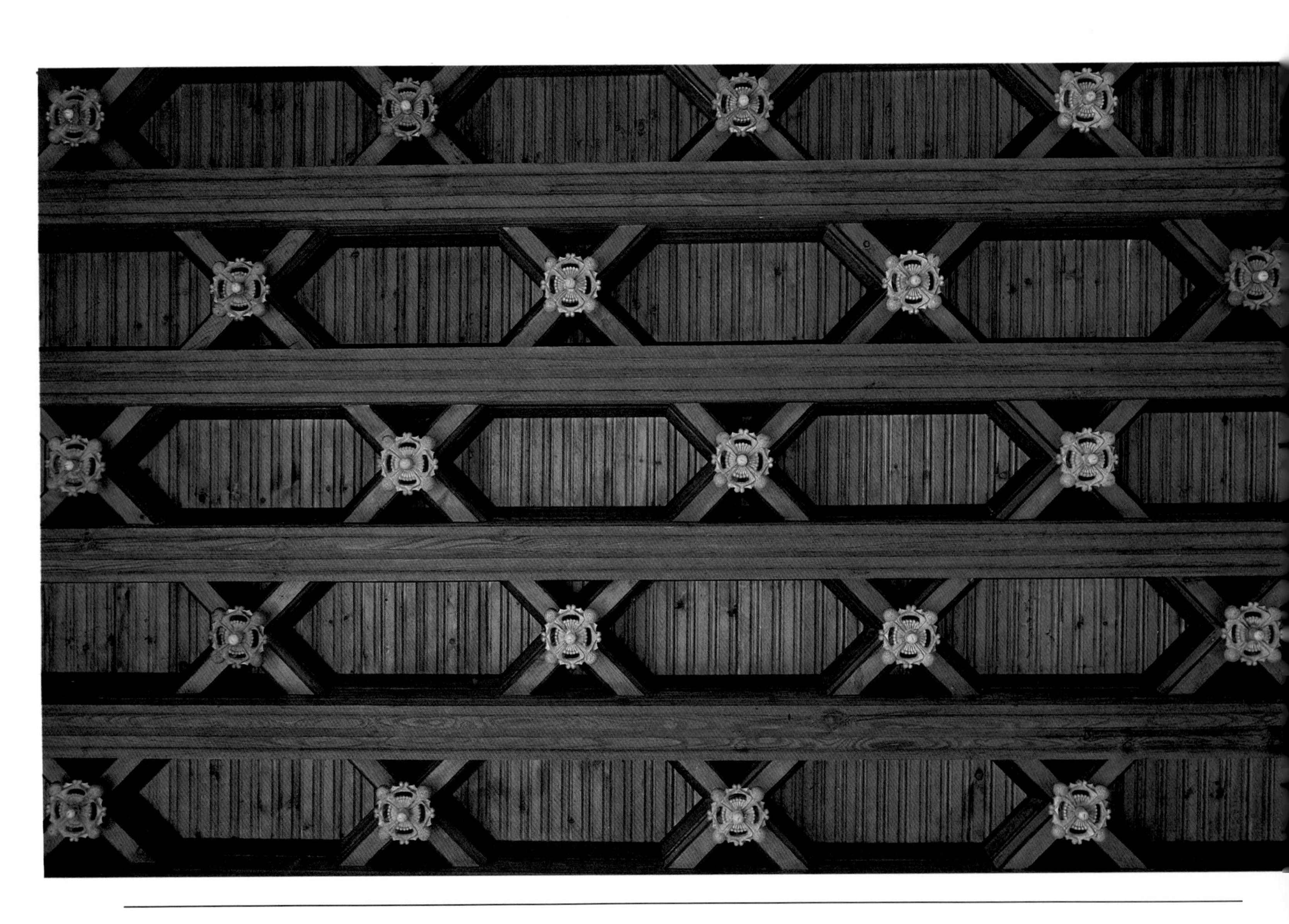

rijst als enige ruimte van het huis tot in de zolderverdieping op en bevindt zich ook nog voor een deel in het souterrain, waar verder het dienstpersoneel is ondergebracht. Het is dus een ruimte met de hoogte van twee verdiepingen.

Gaudí's werkwijze bij de bouw van dit huis was heel onkarakteristiek. In de regel bouwde hij zijn huizen ter plaatse en op de bouwplaats deed hij verdere inspiratie op. Zo 'woekerden' zijn bouwprojecten in de loop van hun realisering soms in niet vermoedde richtingen. Bij El Capricho week hij van deze gewoonte af. Hij gaf de leiding over de bouw aan zijn vriend Cristòfol Cascante i Colom. Zelf heeft hij de bouwplaats nooit bezocht. Hij moet wel uitvoerige beschrijvingen van de plek en de omgeving hebben gehad, want hij ging in vele details op de bijzondere omstandigheden daarvan in. Het huis ligt op een helling en de bouwplaats werd opgehoogd. Gaudí construeerde voor de steunmuren kleine 'zuilen', die naar boven toe gelijkenis vertonen met de minarettoren. En de kleurstelling van de tegels past volmaakt bij de mengeling van groene begroeiing en zandige bodem. Maar verder zou Gaudí alleen nog werken in direct contact met de bouwplaats en de te maken gebouwen.

Boven: balkondeur van de zolderverdieping van het huis El Capricho. De kanteelachtige, puntige opbouw wordt bij andere ramen herhaald.

Bladzijde 54: deze deelopname van de ingang toont Gaudí's grillige vermenging van stijlen: links een van de robuust werkende torenachtige welvingen aan de buitenkant, rechts de zich imposant boven een slanke zuil verheffende boog van het portiek, met daartussen de fijngevormde ornamenten, die ondanks de zonnebloemmotieven aan de Moorse stijl doen denken.

Links: de naar het zuidwesten gekeerde gevel. Het met dakpannen gedekte deel aan de rechterkant werd in 1916 aangebouwd.

Bladzijde 56: blik op de noordelijke gevel. De balkons zijn uitgerust met smeedijzeren hekwerken.

Links: steunmuren aan de zuidkant van het bouwwerk. In het midden bevindt zich een niet overkapte plaats voor het voeren van gesprekken.

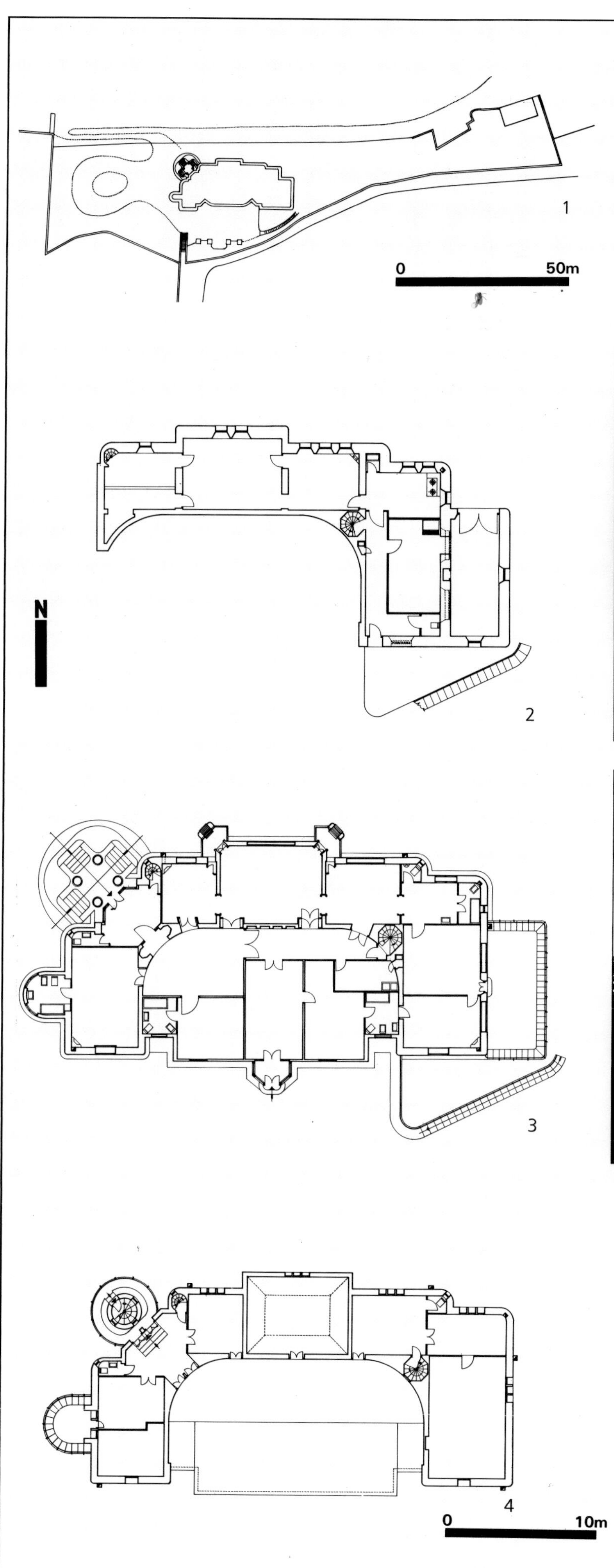

De aanblik van El Capricho vanaf de ingangszijde (bovenste foto) geeft de indruk dat het om een compacte bouw met een ronde of vierkante basisvorm zou gaan. Een blik op het gebouw vanuit het zuiden (onderste foto) toont de werkelijke opbouw van het huis en laat ook de vorm van de afzonderlijke delen zien. Het gaat hier om een feitelijk rechthoekig bouwwerk, waarvan de structuur door de vorm van de bovenste verdiepingen licht varieert.

1. Situatietekening
2. Tekening van het souterrain
3. Tekening van de eerste verdieping
4. Tekening van de zolderverdieping

Finca Güell

1884 - 1887

In zijn derde grote bouwwerk gedraagt Gaudí zich afwijzend. Vrijwel geen enkele vensteropening doorbreekt de buitenwand. Achter de gelijkvormig met lichte, halfcirkelvormige ornamenten versierde muren zou zich heel goed de harem van een sultan kunnen bevinden. De ingang kon niet strakker zijn.

Een portiershuisje aan de linkerkant keert de bezoeker koppig een kant toe; het lange vlakke gebouw rechts met een prachtig koepeldak werkt net zo ontoegankelijk. Zou men dan toch nog naar binnen willen, dan staat er nog een ijzeren draak in de weg die voor een deel de machtige ijzeren poort vormt.

Dat zich achter deze imposante façade geen voornaam paleis maar alleen maar de stallen van een landgoed verbergen, staat in ieder geval conclusies over de rijkdom van de bezitter toe.

Boven: overzicht van de ingang. Van links naar rechts ziet men het portiershuis, de drakenpoort en de stal.

Bladzijde 59: koepel van de ruiterhal met een op de Moorse stijl geïnspireerd torentje dat met zijn vele vensters voor een gelijkmatige belichting van de hal zorgt.

Bladzijde 61: portiershuis en drakenpoort (boven). Kunstig versierde ventilatietoren op het dak van het portiershuis (onder).

Nog voordat Gaudí van zijn vriend en beschermer Eusebi Güell de grote opdracht kreeg om een paleisachtig woonhuis in het centrum van Barcelona te bouwen, kreeg hij de gelegenheid Güell enkele proeven van zijn kunst te bieden. Güell had in 1883 buiten het toenmalige Barcelona, tussen Corts de Sarrià en Pedralbes, een landgoed gekocht. Gaudí moest een aantal restauratieve werkzaamheden verrichten en enkele gebouwen bijbouwen. Op voorstel van Güell, die het vooral om het representatieve aspect ging, moest er vooral aandacht worden besteed aan de ingang. Het werk aan het landgoed liep parallel aan de bouwwerkzaamheden aan het Palacio, maar toch liggen er architectonische werelden tussen beide projecten. Hoewel ze wat de tijd betreft zo dicht bij elkaar liggen, behoren ze tot twee verschillende fasen van Gaudí's werk. De bouwwerkzaamheden aan het landgoed passen nog bij zijn mudejarstijl, waar ook het Casa Vicens en El Capricho toe behoren. Wat de vormgeving van de ornamenten betreft is Gaudí bij de laatste van dit trio veel 'stijlvaster' dan bij de andere twee, d.w.z. in zoverre men bij Gaudí van stijlvastheid spreken kan. Een voorbeeld zijn de halfcirkelvormige patronen waarmee hij de gevels versierde. Gaudí gebruikte hier een veel abstractere vormgeving dan de bloempatronen van zijn eerdere werken tonen. Ook de kleine toren die zich boven het afgeplatte koepeldak van de rijschool verheft, is veel terughoudender en fijner van vorm dan de fantasievolle toren van El Capricho.

Door deze eenheid van vormgeving in de gevels maakte Gaudí duidelijk dat het project op een en hetzelfde plan gebaseerd was, ook al bestond

het uit een aantal verschillende bouwelementen als stal, ruiterhal en portiershuis.

De gelijkenis van de Finca met de beide Moorse voorgangers is onmiskenbaar, en toch gaf Gaudí met deze drie kleine gebouwen vorm aan iets geheel nieuws. Het fascinerende is vooral te vinden in de vormgeving van de binnenruimten. Het portiershuis, bijvoorbeeld, bestaat uit een verdieping, die de vorm van een achthoek heeft. Daarboven verheft zich een afgeplatte koepel - een nieuwigheid in de vormgeving van Gaudí. De koepelvorm herhaalt zich zelfs in de op de achthoek aansluitende vierkante torens. Deze compacte, blokachtige gebouwen horen bij de stallen. De stallen bevinden zich in een lang, laag gebouw, waaraan alleen door de identieke gevel te zien is dat het bij het portiershuis hoort. De op de stal aansluitende ruiterhal, die als rijschool diende, is van buiten nauwelijks van de stallen te onderscheiden. Alleen een koepel met een Moors geïnspireerd torentje verwijst naar de bijzondere functie. Door de toren op de ruiterhal en de toren op het portiershuisje wordt een soort eenheid van vorm geschapen die de zo verschillende gebouwen bij elkaar doet horen.

Architectonisch gezien is alleen het stalgebouw van binnen interessant. De kenner van het latere werk van Gaudí denkt bij de bezichtiging hiervan vroege voorvormen te ontdekken van de later door Gaudí toegepaste hoog opgetrokken gewelven. De stal heeft inderdaad een overspanning van een rij helderwitte, dikke muurbogen. Daardoor lijkt de ruimte voor een stal bijzonder helder en breed te zijn.

Toch hebben deze bogen niet de extreme paraboolvorm. Ze wijzen

minder vooruit naar Gaudí's latere steunconstructies en meer terug naar de fabriekshal in Mataró. Maar toch geeft de constructie een gedurfde en moderne indruk en is bovenal verbazingwekkend zakelijk vergeleken met de rijke versieringen aan de buitenmuren.

Misschien is de poort tussen het portiershuis en het stalgebouw nog wel belangrijker dan deze gebouwen. Het is een prachtig voorbeeld van Gaudí's smeedkunst. Verder is het het eerste belangrijke voorbeeld van de Jugendstilelementen in zijn werk. Behalve dat bewijst het de grote bekwaamheden van Gaudí als constructeur en staticus. De poort is vijf meter breed en bestaat toch maar uit één enkel stuk. Hij is dus maar aan één kant opgehangen. De ophangpost heeft een daarbij passende lengte van meer dan tien meter. Als Gaudí de poort - zoals gebruikelijk was - symmetrisch zou hebben gemaakt, was de indruk ontstaan van een gevangenispoort. Maar vanaf tien meter hoogte laat Gaudí de bovenste lijn van de poort over

De zogenaamde drakenpoort aan de ingang van de Finca Güell is waarschijnlijk geïnspireerd op de Hesperidenmythe. Volgens deze mythe bewaakte een gevleugelde draak de tuin waarin drie wonderschone nymfen leefden. Het gelukte Heracles de draak te overweldigen en in de tuin binnen te dringen.

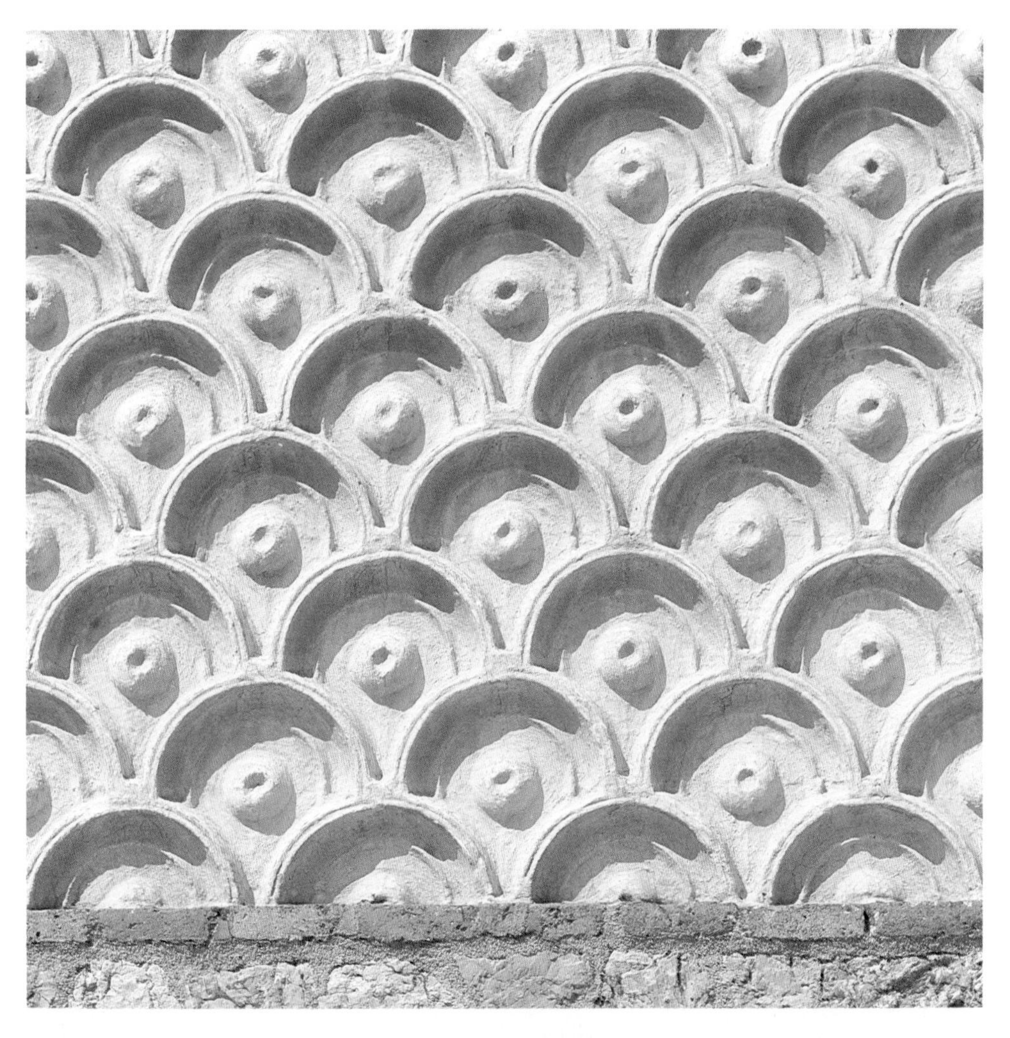

Links: de buitenmuur van het portiershuis en de stal zijn met honingraatmotieven versierd.

Boven: detail van de drakenpoort. Als een grimmige wachter uit de onderwereld steekt de draak zijn getande bek uit naar een eventuele indringer.

Links: decoratieve versiering van de buitenmuur van de ruiterhal.

CATEDRA GAUDI

Bladzijde 64: het bovenste deel van de zuil van de drakenpoort. De bovenkant van deze zuil bestaat uit een beeldhouwwerk dat met zijn fantasierijke ornamenten de vorm heeft van de stam en het loof van een sinaasappelboom. Op het eerste gezicht zal het misschien niet opvallen, maar ook de voegen tussen de bakstenen van de zuil zijn met kleurige stukjes keramiek gevuld.

Bladzijde 65: ingang van het stalgebouw, waarin tegenwoordig de Gaudí-leerstoel van de Technische Academie voor Architectuur is ondergebracht.

Rechts: blik vanuit het portiershuis op de stallen en de koepel van de ruiterhal. Het dak van de stal is bekleed met een rij witte buizen. Dit element duikt in gevarieerde vorm weer op bij het schoolgebouw van de Sagrada Familia.

iets meer dan de helft schuin naar beneden lopen. Dat verleent de poort een speelse elegantie. De onderste helft bestaat uit een patroon van vierkante metalen plaatjes. Daarboven verheft zich een reusachtige draak met een angstaanjagende opengesperde bek, die de poort zijn naam gaf en tegelijk een vroeg voorbeeld is van de symboliek in Gaudi's werk: hij is de wachter van de tuin, en hoe speels hij door de vele art nouveau krullen ook mag lijken, hij oefent zijn functie toch zeer effectief uit. Wanneer men de poort opent, komt zijn poot met de grote ijzeren klauwen omhoog.

Dit zijn de hoofdwerken van Gaudí voor het landgoed van Güell. Van de talrijke kleinere werken - het verbouwen van de oude woonplaats van de Güells en de omheiningsmuur van de begraafplaats - is intussen een aantal weer ongedaan gemaakt. Maar ze zijn ook van mindere betekenis en komen niet in de buurt van de drakenpoort, die nog steeds als meesterwerk van de Catalaanse smeedkunst geldt.

Bladzijde 68: binnenruimte van de ruiterhal - een prachtig voorbeeld van Gaudí's gevoel voor licht. De heldere, kale binnenmuren weerspiegelen gelijkmatig het glanzende licht dat door de ramen van de koepel binnenkomt.

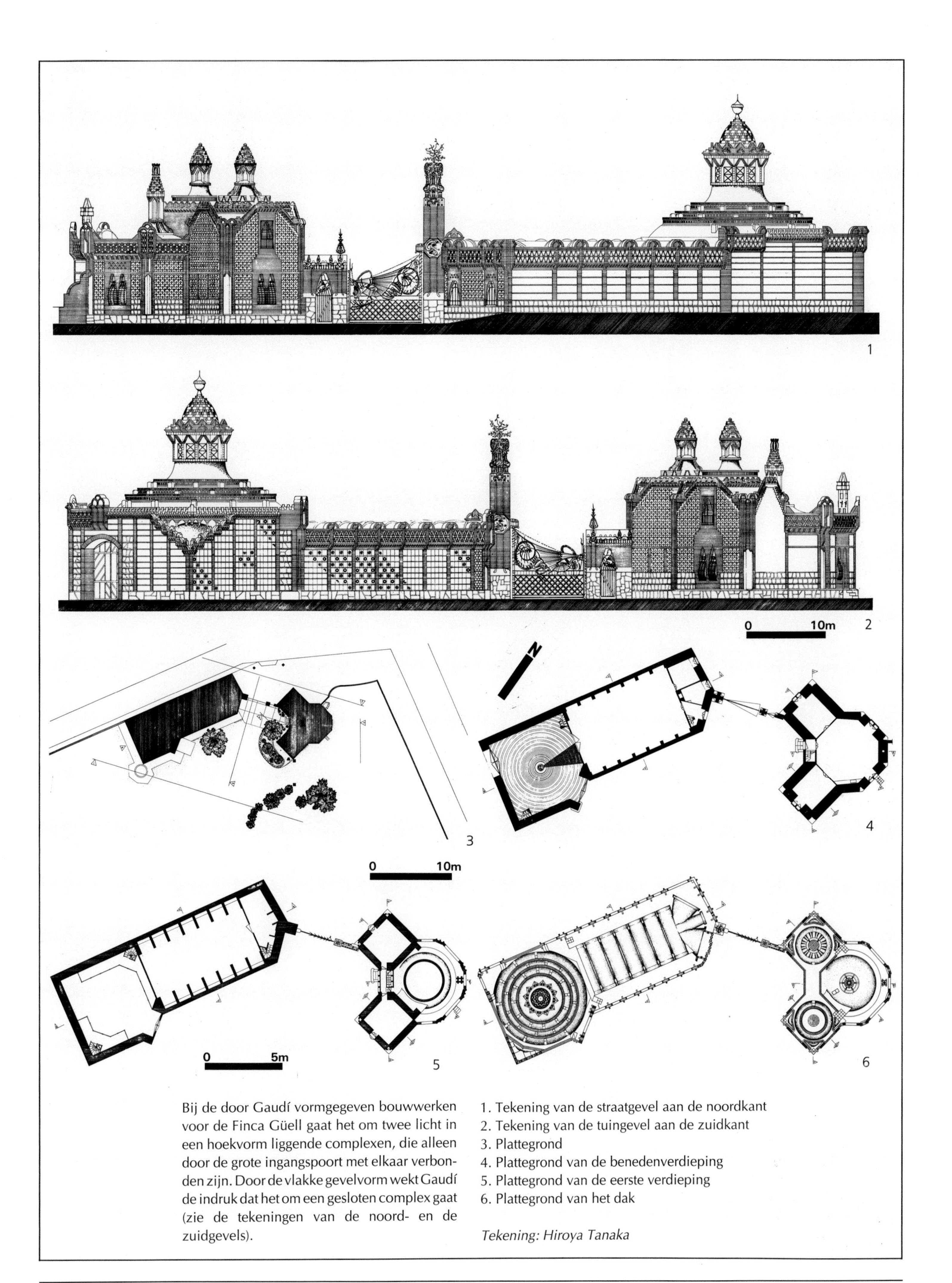

Bij de door Gaudí vormgegeven bouwwerken voor de Finca Güell gaat het om twee licht in een hoekvorm liggende complexen, die alleen door de grote ingangspoort met elkaar verbonden zijn. Door de vlakke gevelvorm wekt Gaudí de indruk dat het om een gesloten complex gaat (zie de tekeningen van de noord- en de zuidgevels).

1. Tekening van de straatgevel aan de noordkant
2. Tekening van de tuingevel aan de zuidkant
3. Plattegrond
4. Plattegrond van de benedenverdieping
5. Plattegrond van de eerste verdieping
6. Plattegrond van het dak

Tekening: Hiroya Tanaka

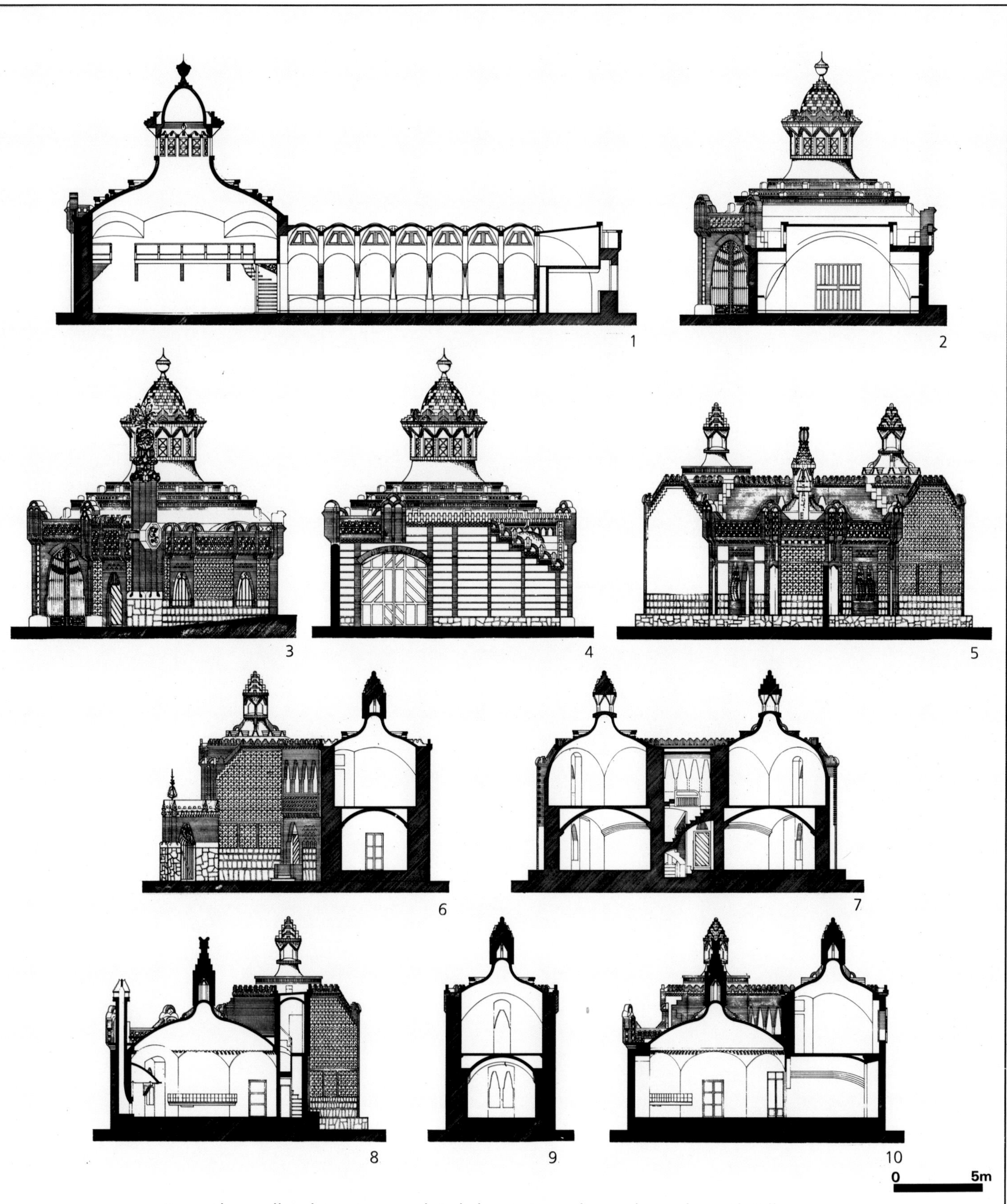

De gevels van alle gebouwen geven de indruk van zakelijk geconstrueerde bouwwerken met hoekige vormen. Een blik op de lengte en dwarsdoorsnede toont aan dat Gaudí deze indruk van de buitenkant als tegenwicht gebruikte voor de vormgeving binnen: hier overheerst de koepelwelving.

1. Lengtedoorsnede van de paardestallen en de ruiterhal
2. Dwarsdoorsnede van de paardestal
3. Noordoostelijke gevel van de stal
4. Zuidwestelijke gevel van de ruiterhal
5. Gevel van het portiershuis.
6 - 10. Doorsneden van het portiershuis

Tekening: Hiroya Tanaka

Palacio Güell

1886 - 1889

Waar men ook gaat staan in de Calle Nou de la Rambla, het zal niet meevallen om het paleis dat Gaudí voor zijn vriend Eusebio Güell bouwde, in zijn geheel te zien. Dat ligt zeker niet aan de grootte: de bouwplaats is 18 bij 22 meter. Op zo'n stuk grond kan een aanzienlijk woonhuis worden gebouwd. Maar de straat is zo smal (en de huizen niet allemaal in de beste toestand) dat men niet ver genoeg weg kan gaan staan om het paleis in zijn geheel te bewonderen. Bekijkt men het pand vanuit een van de tegenover staande huizen, dan kijkt men tegen een vrij strakke, uit grote stenen bestaande voorgevel aan. Van de weelderig vormgegeven gevel van de onderste verdieping ziet men slechts weinig doordat de grappige torentjes op het dak, waarmee Gaudí vanaf dat moment de schoorstenen zal verhullen, eerder de aandacht trekken. Het is een paleis met een sprookjestuin op het dak.

MUEBLES

Bladzijde 71: gevel van het Palacio Güell. Voor de bovenste helft gebruikte Gaudí grijze natuursteen uit Garraf. De onderste helft heeft een iets uitstekende gevel met hoge symmetrische ramen.

Toen Eusebi Güell in het midden van de tachtiger jaren Gaudí tot zijn bevoorrechte architect maakte, had deze nog nauwelijks bewezen wat hij kon. Het Casa Vicens werd nog gebouwd, El Capricho was bijna klaar. Eigenlijk was de mening van de zakenman over Gaudí gebaseerd op de kleine ontwerpen die hij op de wereldtentoonstelling in Parijs had gezien. Maar Gaudí ervoer meerdere keren in zijn leven een groot vertrouwen van zijn opdrachtgever in zijn kunst. Güell bespeurde Gaudí's talent; maar ook de sociale betrokkenheid van Gaudí en zijn Catalaanse gezindheid spraken Güell aan. Tegelijkertijd was Gaudí gefascineerd door Güells zeldzame combinatie van adel, geld en betrokkenheid bij de onderste lagen van de maatschappij. Toen hij voor Güell een wapen ontwierp, voegde hij er de woorden "Vroeger een herder, nu een man van adel" aan toe, om zo duidelijk de carrière van Güell aan te geven, die onder bescheiden omstandigheden was opgegroeid, maar naar Amerika was gegaan en rijk was teruggekomen. Toen hij midden in Barcelona door Gaudí een paleis liet bouwen, speelde geld voor hem geen rol meer. Een financieel adviseur, die de opdrachtgever op de steeds groeiende kosten wees, stuitte op dovemansoren. "Ik voel de zakken van Don Eusebio," zo zou hij geklaagd hebben, "en Gaudí maakt ze leeg."

Maar Güell kreeg daar iets voor terug dat niet alleen in geld was uit te drukken. Daarbij waren de omstandigheden bepaald niet gunstig. De Conde del Asalto (nu de Calle Nou de la Rambla), waar het paleis moest komen te staan, is nauw, de bouwplek was niet bijzonder groot: 18 bij 22 meter is eigenlijk wat klein voor een paleis, ook voor een stadspaleis. Alleen al voor de gevel maakte Gaudí niet minder dan 25 ontwerpen. Vergeleken met het tot dan toe gebouwde, koos hij voor een verbazend terughoudende, strakke versie. De voorgevel van het huis, dat direct op de buurhuizen aansluit, wordt door rechte hoeken bepaald. De belangrijkste versiering ligt in de iets naar voren stekende brede erker, die zich aan beide

Onder: het frontaanzicht van het Palacio Güell toont de gelijkvormige symmetrische structuur van de ramen en de grote ingangspoorten, die, vergeleken met de afmetingen van de gevel, bijzonder groot zijn. Het ontwerp draagt de handtekeningen van Gaudí en Güell.

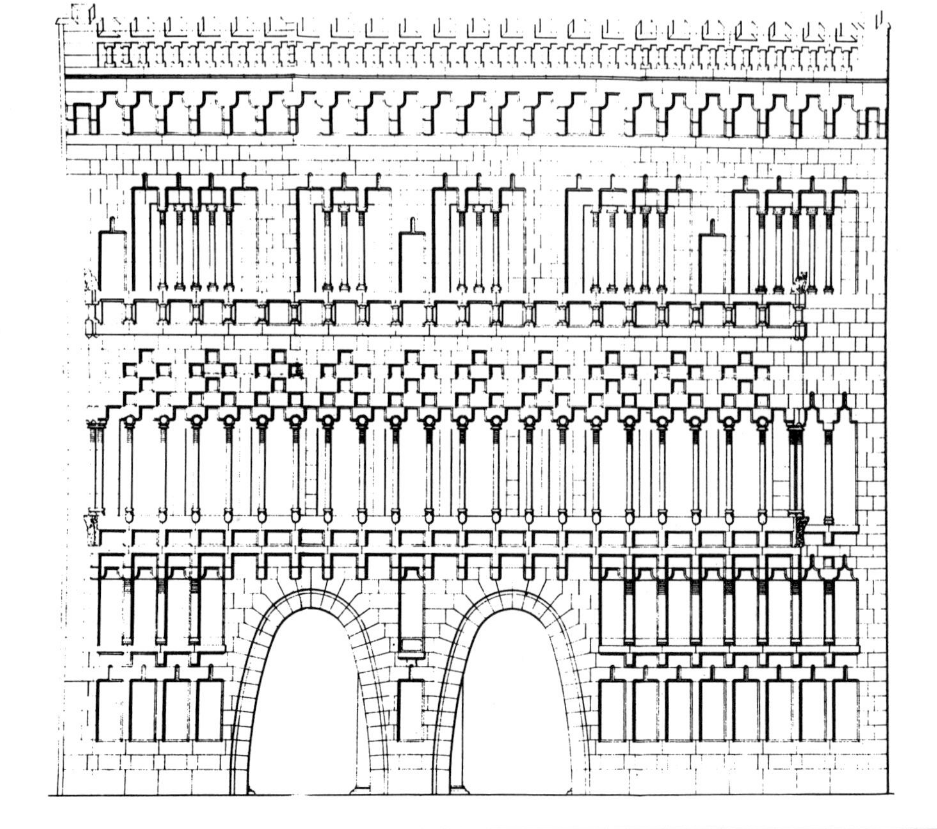

Calle del Conde del Asalto n° 3 y 5

Escala de 1 por 50

Barcelona … Junio 1886
El Arquitecto
Gaudí

El propietario
Eusebio Güell

0 5m

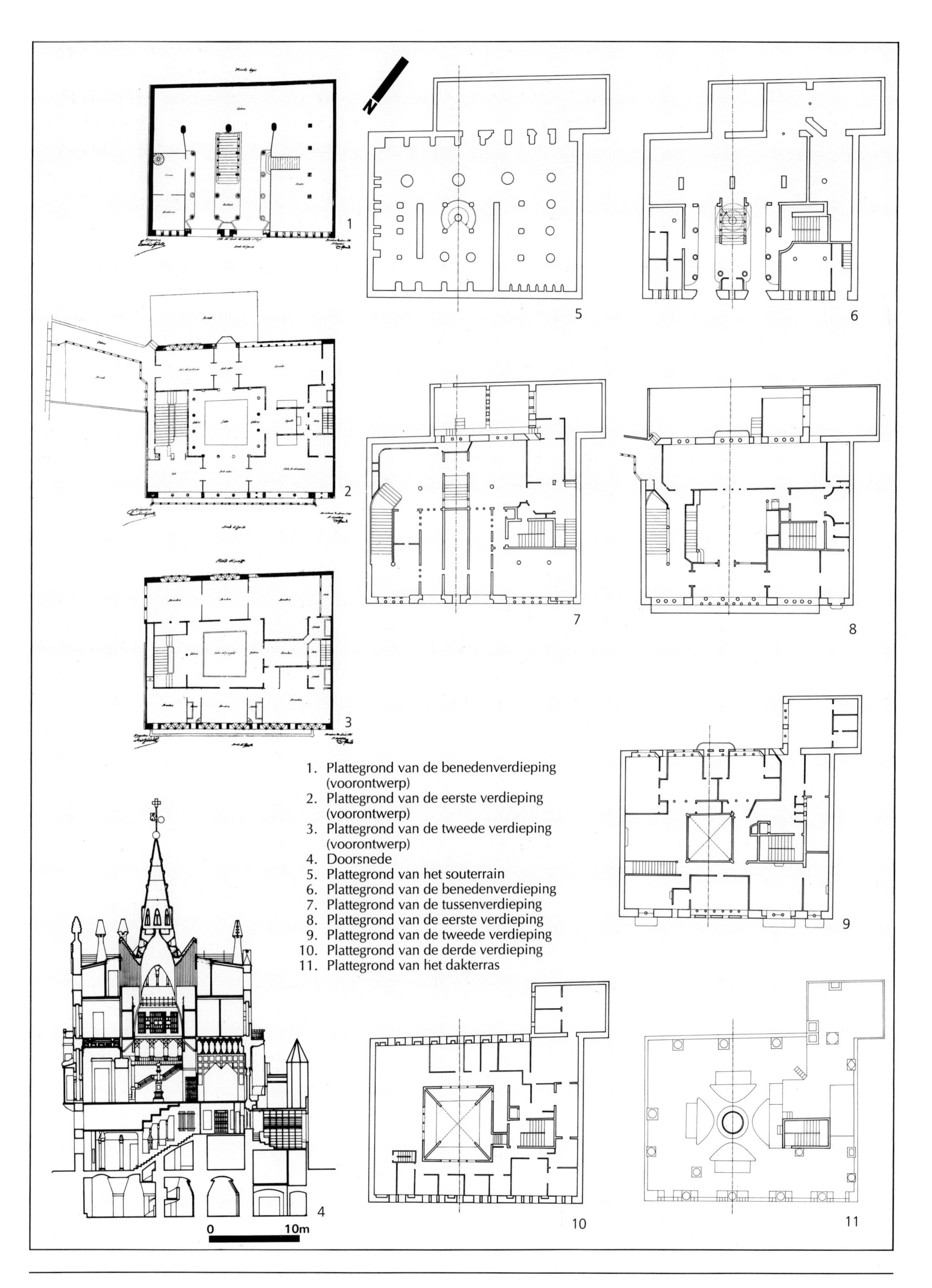

1. Plattegrond van de benedenverdieping (voorontwerp)
2. Plattegrond van de eerste verdieping (voorontwerp)
3. Plattegrond van de tweede verdieping (voorontwerp)
4. Doorsnede
5. Plattegrond van het souterrain
6. Plattegrond van de benedenverdieping
7. Plattegrond van de tussenverdieping
8. Plattegrond van de eerste verdieping
9. Plattegrond van de tweede verdieping
10. Plattegrond van de derde verdieping
11. Plattegrond van het dakterras

Bladzijde 74/75: de ingang aan de voorgevel bestaat uit twee naast elkaar staande poortbogen met gietijzeren poorten. Tussen de poorten ziet men toespelingen op het wapen van Catalonië.

Bladzijde 77: toilettafel die Gaudí ontwierp voor het Palacio Güell.

Bladzijde 78/79: centrale luchtafvoer in de grote hal van de eerste verdieping. In het midden de trap naar de tweede verdieping.

kanten tot aan de tweede verdieping verheft. Gaudí paste hier vrijwel geen beeldhouwkundige ornamenten toe; alleen tussen de twee poorten bracht hij een weelderig uitgevoerde zuil aan met de emblemen van Catalonië - een duidelijke aanwijzing van de politieke gezindheid van zijn opdrachtgever. Door deze in strakke lijnen uitgevoerde gevel, die met grijs gepolijste platen marmer werd bekleed, lijkt het paleis groter dan het is. Het doet wat denken aan de Venetiaanse stadspaleizen uit de Renaissance; misschien wilde Gaudí daarmee een gedenkteken plaatsen voor de moeder van Güell, die - hoewel niet uit een paleis - uit Italië stamde.

Maar deze naar de historie verwijzende gevel wordt wel doorbroken door een uiterst anachronistisch element. Voor de bezoeker, die niet ver genoeg achteruit kan stappen om ze goed in zich op te nemen, verheffen zich twee grote poorten van gietijzer. (Dit is de reden waarom de poorten dikwijls van opzij zijn gefotografeerd, meestal met een groothoeklens, waarbij ze de indruk wekken naar achteren te wijken.) Deze poorten zorgden voor opschudding. Ze waren de eerste van deze soort in Barcelona. Later werd dit idee veel meer toegepast. Ze zijn niet het enige voorbeeld van het feit dat Gaudí nieuwe ideeën in de bouwwereld introduceerde. De poorten vertonen een eigenzinnige boogvorm. Het is niet precies de vorm van de gotische spitsboog noch de ronde boogvorm van de Moorse bouwstijl, waardoor Gaudí zich in zijn eerste huizen nog sterk liet beïnvloeden. Gaudí ontwierp hier voor het eerst zijn parabolische boogvorm, die voortaan in al zijn gebouwen te vinden zou zijn en die hij

Onder: spits van de kegelvormige toren die zich boven de koepel van de centrale woonruimte verheft (links). Op het dak de schoorstenen en ventielatietorentjes in bijzonder originele vorm; men voelt zich herinnerd aan een klein cypressenbos (rechts).

Bladzijde 80: de grote hal. De deurvleugels van de ingang naar de huiskapel en de wandvlakken zijn versierd met schilderstukken van Alejo Clapés. Op het bovenste deel van de foto is de overloop van de tweede verdieping te zien.

Bladzijde 81: het bovenste deel van de koepel in de grote hal. De oppervlakte is bekleed met zeshoekige tegels. Talrijke ronde openingen laten licht naar binnen, zodat de koepel het effect geeft van een sterrenhemel.

Bladzijde 83: voor de ramen in de woon- en eetkamer bevinden zich drie grote, uit grijze steenzuilen gevormde paraboolbogen. De zuilen van slangesteen werden gepolijst en glanzen in het licht.

later tot het dragende constructie-element zou uitwerken. (Dit maakte het mogelijk om zonder de steunpilaren en bogen te werken die hem in de gotiek niet bevielen.) De paraboolvorm komt in het huis nog een keer voor. Hier speelt Gaudí zelfs een spel met de gotische traditie. In de ontvangstkamer van het paleis wordt het licht dat door de ramen valt, door drie grote uit grijze, gladgepolijste zuilen gevormde paraboolbogen ingedamd. De bogen, die steil omhoogrijzen, wekken de indruk van een gotisch venster. Maar de vensters die Gaudí in het Palacio Güell maakte, zijn rechthoekig en spreken daardoor de boogvorm tegen. In deze ruimte herhaalt Gaudí dus de breuk met de gebruikelijke vorm, waarmee hij met de poorten in de gevel begonnen is.

Deze poorten vertonen ook tekenen van de invloed van de Jugendstil. In het bovenste gedeelte zijn ze door een rijk ijzeren ornament versierd, waarin ook de initialen van de heer des huizes te lezen zijn; deze zijn omringd door kronkelende lijnen die sterk aan een paardenzweep doen denken. Daarmee verwijst Gaudí naar de eigenlijke functie van deze poorten en rechtvaardigt tegelijkertijd hun buiten alle dimensies vallende grootte. Door deze ingangen moesten de gasten met hun koetsen naar binnen kunnen. Voor de paarden maakte hij in de hal een langzaam aflopende afrit die naar de paardestallen in de kelder voert. Ook dit was, net als de poorten, een nieuwigheid in de architectuur van Barcelona. Het debuut van Gaudí als architect in deze stad - het Casa Vicens lag er eigenlijk wat buiten, in het stadsdeel Gràcia - was adembenemend. De Jugendstilelementen van de toegangspoort herhalen zich binnenin het huis. Ten eerste zijn daar de rijke versieringen aan de zuilen, waarvan er nogal een aantal is: van de dikke, paddestoelachtige zuilen in het souterrain tot de elegante, kostbare, gladgepolijste, grijze slangesteen, die in een steengroeve in de Pyreneeën werd gewonnen.

Bij elkaar bevinden zich in het paleis 127 zuilen, die voor een niet gering deel bijdragen aan de indruk van overweldigende grootte - een optisch effect waar Gaudí zeker bewust gebruik van maakte. Daarbij nam hij de nogal grote proportionele verschillen op de koop toe. De toegangspoorten staan in geen verhouding tot de oppervlakte van de gevel. Maar wanneer men ervoor staat, moet men de indruk krijgen van een onmetelijk groot paleis. Dezelfde indruk moet men krijgen wanneer men de trap naar de eerste verdieping bestijgt (het gebouw heeft in totaal zes verdiepingen).

Middenin het paleis bevindt zich een hal die drie verdiepingen hoog is. Men zou kunnen zeggen dat deze de gebruikelijke binnenplaats vervangt. De hal wekt de indruk van een grote barokkerk. Deze ruimte wordt bekroond met een koepel, waarin Gaudí talrijke ronde gaten heeft gelaten. Men krijgt daardoor de indruk dat men de sterren aan het firmament ziet staan. Maar hoe groots deze centrale ruimte ook mag werken, de oppervlakte is maar negen vierkante meter met daarbij een hoogte van 17,5 meter. Deze hoogte is verantwoordelijk voor de overweldigende indruk. In deze ruimte vindt het gezelschapsleven plaats. Voor de muziekliefhebber Güell ontwierp Gaudí een orgel, waarvan hij de pijpen op de bovenste galerij plaatste. Daardoor lijkt de klank van de muziek van bovenaf over de toehoorders heen te vallen. Een altaar vervolmaakt de inrichting van deze unieke ruimte, die oorspronkelijk slechts een randfunctie had moeten vervullen. Maar tijdens het ontwerpen raakten de architect en de opdrachtgever steeds meer gefascineerd door deze ruimte,

Onder: een door Gaudí ontworpen sofa. Voor het Palacio ontwierp Gaudí talrijke op de Jugendstil geïnspireerde meubelstukken. De hier afgebeelde sofa staat in de slaapkamer op de tweede verdieping.

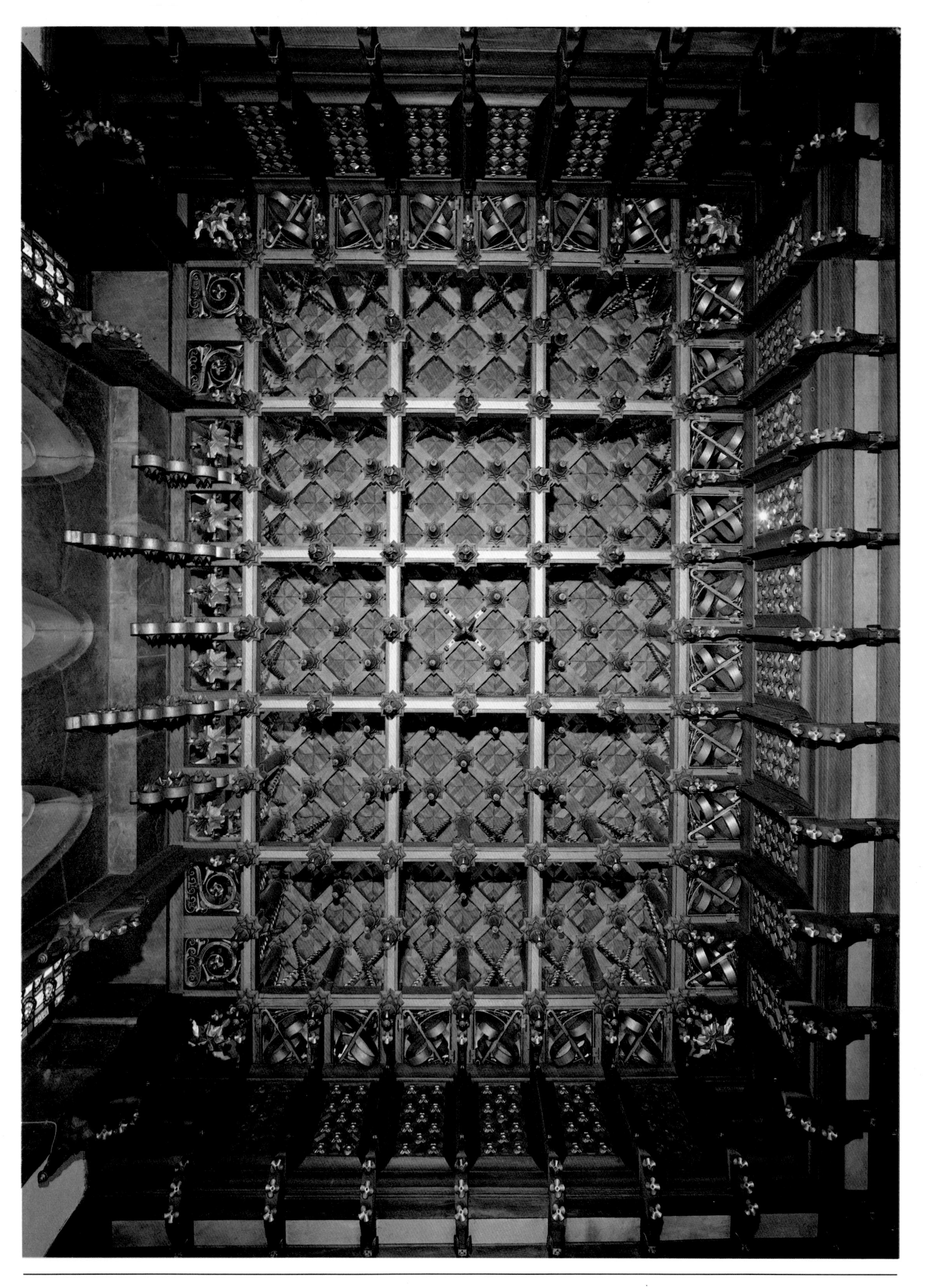

die ten slotte het hart van het bouwwerk werd. De (nog altijd talrijke) andere kamers van het huis lijken om de hal heen gebouwd. De hal is een soort overgedimensioneerde ruimte, die de rest van het gebouw 'draagt'.

De andere ruimten zijn beslist niet van mindere waarde. Gaudí besteedde veel aandacht aan de plafonds, die rijk met houten ornamenten zijn gedecoreerd, en de lambrizeringen van eucalyptus- en cypressehout, die door rijkversierde ijzeren elementen aangevuld (en tegelijk gesteund en gedragen) worden. Naast de architectonische vormgeving zijn zeker ook de meubelen de moeite waard, die Gaudí ontwierp en waarin hij een geheel eigen Jugendstil ontwikkelde. We zien daarin de typische speelse vormen, maar tegelijkertijd ook verbazingwekkend zakelijke vormen. De spiegel in de toilettafel werkt als een collage van traditionele rechthoekige spiegelvormen in combinatie met elegante Jugendstillijnen aan de onderkant. Hij bestaat eigenlijk uit twee heel verschillende spiegels. Net zo eigenzinnig zijn de beide houtelementen, waarop hij rust of eigenlijk lijkt te balanceren. Het zijn geen zuilen, en de poten werken als grappige surrealistische plastieken. Bij zijn latere bouwwerken vroegen de arbeiders dikwijls met grote scepsis of de boel wel zou blijven staan. Deze vraag komt ook bij deze toilettafel op. Je verwacht dat hij elk moment kan omvallen.

De draaivorm van de poten van deze tafel komt nog een keer voor, en wel op het dak. Het dak was voor Gaudí altijd al een belangrijk element. Daar ontvouwde hij soms een geweldige fantasie. Daarbij stoorde het hem niet dat de speelse vormen vanaf de straat meestal niet te zien waren. Het dak heeft een kleine koepel die zich boven de hal verheft. Deze mondt uit in een spitse toren, waardoor het gebouw een merkwaardig sacraal karakter krijgt. Toch valt de toren - ook wat kleur betreft - volledig uit de toon. Daaromheen staan 18 surrealistisch aandoende 'beeldhouwwerken', die aan de poten van de toilettafel herinneren. Het zijn de eerste voorbeelden van die soort torentjes, die Gaudí later tot de mijterachtige torenafsluitingen van de Sagrada Familia zou sublimeren: kleine, dikwijls in zichzelf gedraaide, van passende ornamentele spitsen en hoeken voorziene scheppingen, die louter speels lijken en toch, zoals zo vaak bij Gaudí, een praktische funktie hebben als schoorsteen en ventilatie-opening. Gaudí verborg de banale functie van deze elementen achter een rijk ornament van bonte tegels.

Met dit paleis dook Gaudí uit de anonomiteit op. Tijdens de bouwwerkzaamheden (van 1886 tot 1889, een verbazend korte tijd) verschenen in de pers berichten die eerst over de opdrachtgever gingen, maar die hun aandacht al snel op de jonge architect richtten, die hier zo onbekommerd nieuwe architectonische wegen insloeg.

Bladzijde 84: het plafond in de woon- en eetkamer is van beukehout.

Boven: het van buiten komende helle licht wordt door Gaudí door middel van een aantal paraboolbogen gedempt.

Onder: souterrain met de dikke steunzuilen en de spiraalvormige op- en afrit voor koetsen.

Colegio Teresiano

1888 - 1889

Beschenen door de zuidelijke zon en afgetekend tegen de blauwe lucht, straalt dit bouwwerk in een pralende glans. Kleurig valt het grote wapen van de orde op, die hier zijn stamhuis heeft: de orde van de heilige Theresia van Avila. Maar de indruk is misleidend. Spaarzaamheid en karigheid waren de hoogste geboden van de orde en aan deze geboden moest ook Gaudí zich onderwerpen. Zo is de erker die als een toren rond de ingang oprijst, vrijwel de enige versiering aan dit voor Gaudí's begrippen ascetische bouwwerk. Alleen de rij spitse tinnen langs de rand van het dak is zuiver als versiering bedoeld. Maar de tinnen verwijzen ook naar de stijl van het gebouw dat geheel gewijd is aan de naamgeveres van de orde, die zich in haar filosofie oriënteerde op de Middeleeuwen, de bloeitijd van de gotiek. Gaudí volgde haar op zijn eigen wijze.

Bladzijde 87: buitenaanzicht vanuit de schooltuin.

Bladzijde 89: het erkerachtige deel in het midden van de voorgevel. In het midden van de eerste verdieping is het wapen van de orde der karmelieten aangebracht: op de berg Karmel het kruis, rechts en links de harten van de Moeder Gods en de heilige Theresia.

Bladzijde 90/91: deze gangen op de eerste verdieping liggen om de binnenplaats heen. Het natuurlijke licht wordt rustig opgevangen en de witgekalkte wanden krijgen een glanseffect.

Dat Gaudí een keer een geheiligd bouwwerk zou maken waarin hij zijn vormwensen volledig ondergeschikt moest maken aan de wensen van zijn opdrachtgever, had hij waarschijnlijk als student en jonge architect niet gedacht. Hij was, passend bij de stromingen van die tijd, eerder antichristelijk. De opdracht voor de bouw van de Sagrada Familia prikkelde hem in het begin alleen vanuit architectonische belangstelling - afgezien daarvan kon hij als jonge architect zo'n uitdaging ook nauwelijks van de hand wijzen. Maar dat hij aan het eind van de tachtiger jaren de opdracht aannam om voor de orde van de heilige Theresia (van Avila) een school en een moederhuis in Barcelona te bouwen, duidt op een veranderde houding ten opzichte van de kerk.

De voorwaarden waren niet direct gunstig. Wat de kosten betreft had Gaudí bij zijn eerste werken kunnen doen wat hij wilde; zelfs bij het Casa Vicens, waarvan de opdrachtgever niet over onbegrensde middelen beschikte, was geld geen probleem geweest. Toen hij aan de opdracht van de orde begon, zat hij middenin de ruime uitgaven voor het Palacio Güell. Zoiets was bij het Colegio Teresiano niet de bedoeling. Dat was voor Gaudí geen eenvoudige opgave, maar dat hij zich eraan hield, toont aan dat hij bij de bouw altijd met de omstandigheden rekening kon houden - of het nu de lokale beperkingen van de bouwplaats waren of inhoudelijke gegevens (zoals de historie van Catalonië, waarmee hij bij de bouw van Bellesguard rekening hield). Een paar kritische opmerkingen van de overste van de orde, Enric d'Osso i Cervelló, bleven hem echter niet bespaard.

Onder: een venster in de voorgevel van de benedenverdieping (links). Hoektoren en wapen van de orde der karmelieten (rechts).

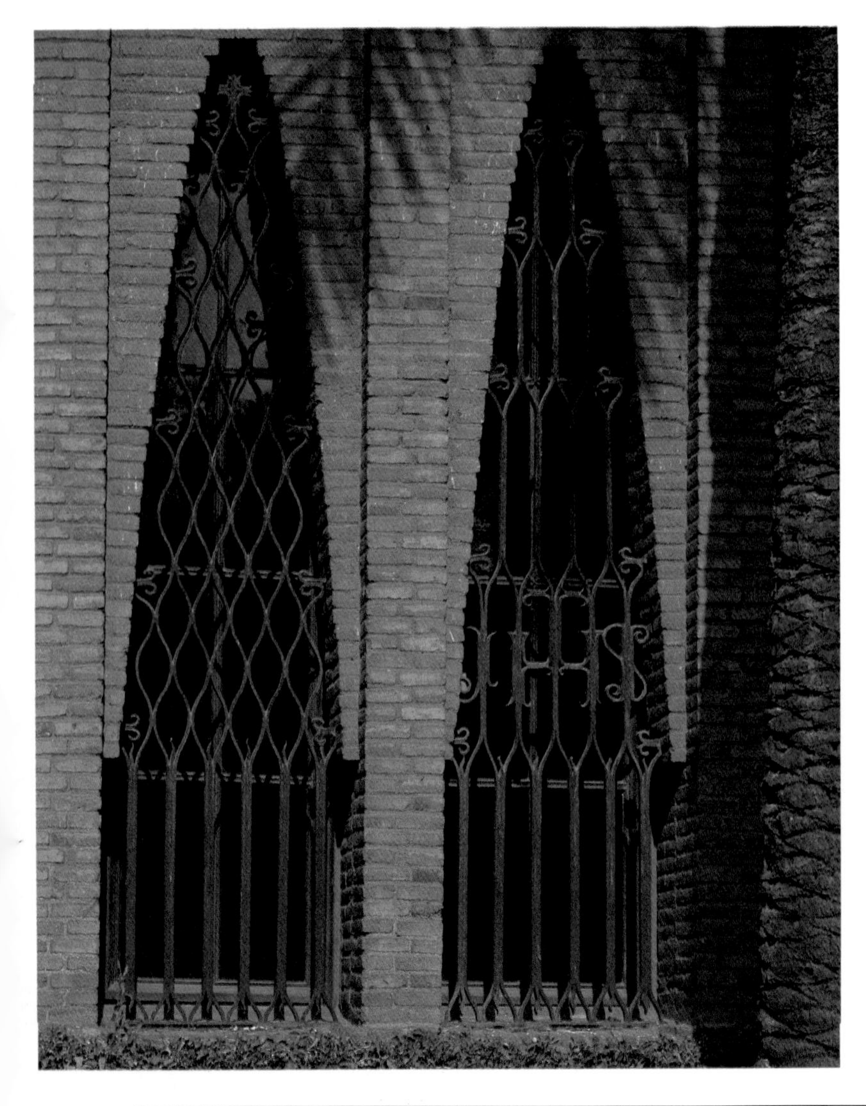

Bladzijde 93: gang op de eerste verdieping. Het effectvolle gebruik van de witgekalkte muurvlakken is een van de bijzonderheden van de mudejarstijl.

Toen deze hem verwijten maakte over de kosten, bewees Gaudí weer eens zijn eigenzinnige temperament: "Ieder het zijne, pater Enric," zou hij geantwoord hebben. "Ik bouw huizen, u leest de mis en spreekt gebeden."

Het protest van de overste (de orde was nog zeer jong en pas in 1876 gesticht) had betrekking op de oplopende rekeningen voor stenen en was niet geheel ten onrechte. Gaudí was namelijk niet alleen in financieel opzicht aan beperkingen onderworpen; de orde hield zich aan de gelofte van armoede en daar hoorde op elk gebied spaarzaamheid en karigheid bij. In grote lijnen hield Gaudí zich hieraan, ook wanneer het hem misschien zwaar viel. Hij was toch niet helemaal vrij in zijn vormgeving, want het gebouw was al tot de eerste verdieping opgetrokken. Net als bij de Sagrada Familia moest Gaudí dus een vreemd concept overnemen. De hele basisstructuur van het huis was al aangegeven: streng, rechthoekig en langwerpig. Maar de hogere verdiepingen dragen duidelijk het stempel van Gaudí. Het gebouw is in drie smalle gedeelten gedeeld, die parallel naast elkaar lopen. In het middelste deel is in het souterrain een lange smalle gang gelaten.

Op de begane grond bevinden zich op deze plaats rechthoekige binnenplaatsen, die voor de belichting van de aan de binnenzijde gelegen ruimten zorgen. Deze binnenplaatsen worden in de hogere verdiepingen nog verbreed. Normaal gesproken zou een dergelijke structuur in het gebouw twee langs elkaar lopende dragende muren vereisen, die vanuit

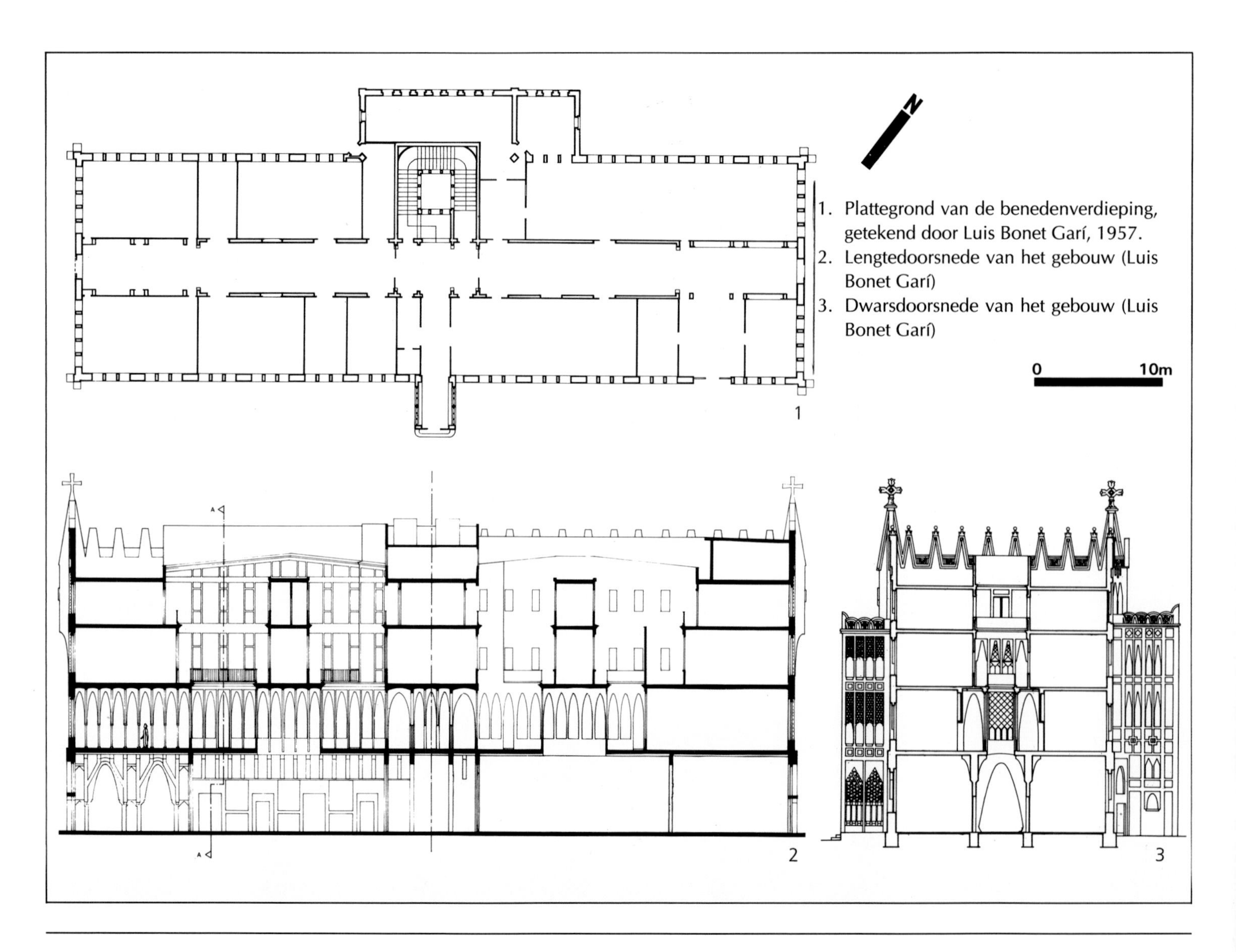

1. Plattegrond van de benedenverdieping, getekend door Luis Bonet Garí, 1957.
2. Lengtedoorsnede van het gebouw (Luis Bonet Garí)
3. Dwarsdoorsnede van het gebouw (Luis Bonet Garí)

Een van de vele lettersymbolen, waarmee Gaudí - meestal in smeedijzeren venstertralies - naar Jezus verwees.

Uit bakstenen opgebouwde paraboolbogen. Met eenvoudige middelen en een lichte variatie op de grondvorm wekte Gaudí de indruk van spartaanse strengheid en tegelijkertijd grote architectonische complexiteit.

het souterrain omhoogkomen. Maar in de nog te bouwen verdiepingen veranderde Gaudí de dragende structuur. In plaats van dragende muren construeerde hij lange gangen die uit een rij symmetrische en identieke paraboolbogen bestaan. Ze hebben genoeg draagkracht voor de daarboven gelegen verdiepingen. Daarmee bereikte Gaudí meerdere dingen. Ten eerste bespaarde hij zich de draagconstructie die uit een saaie lange muur zou hebben bestaan, waardoor de toch al strenge vorm iets speelser werd. Ten tweede schiep hij daarmee prachtige gangen, die door de serie paraboolbogen bijna tot een kruisgang zijn geworden. De bogen zijn wit met daartussen ramen die op de binnenplaats uitkijken. Zo wordt de gang helder verlicht en toch valt het licht indirect naar binnen; het verdeelt zich gelijkmatig en geeft de gangen een rustige contemplatieve sfeer. Tegelijkertijd doet de allesoverheersende boogvorm denken aan de gotiek, aan de tijd dus waarop de door de heilige Theresia gestichte orde der karmelietessen zich oriënteert. Gaudí maakte deze boogvorm zelfs tot het enige stijlelement van het hele bouwwerk. De bogen beheersen het beeld. De hele daklijst is versierd met een rij bogen. De erkerachtige uitbouw bij de ingang, die de strakke gevellijn onderbreekt, heeft boogvormige ramen; ook de ramen van de andere verdiepingen hebben deze vorm. Maar Gaudí schiep ook een tegengewicht voor deze gotische grondvorm: de vensterluiken, die dikwijls gesloten zijn, verwijzen weer naar de rechthoekige vorm van het gebouw. Ook de erkerachtige uitbouw wordt vooral door rechthoekige vormen bepaald.

Dit alles bereikt hij met eenvoudige en vooral goedkope materialen: grove natuursteen wordt afgewisseld met baksteen. Toch was de kritiek van Ossó wel gerechtvaardigd. Gaudí gunde zich op enkele plaatsen een zekere luxe, ook al was dat met goedkoop materiaal. Bijvoorbeeld de tinnen op de daklijst, die, hoewel van gewone baksteen, op een sierende manier naar de gotische grondvorm verwijzen. Zo rijst een sierende zigzagband tegen de lucht op. Een tweede luxe is het gebruik van valse baksteenbogen in de grote halruimten. Ze hebben geen dragende functie, maar geven de zalen een wat statig, oud karakter. Zonder deze vormgeving zou het gebouw misschien beter bij de ideeën van de orde passen, maar waren de zalen wel erg kaal gebleven. Gaudí verbindt witgekalkte wanddelen met uit rode baksteen gemetselde vlakken en vindt op deze manier een synthese tussen ascese en rustieke gerieflijkheid. Door de orde waren hem al de spiraalvormig gedraaide baksteenzuilen verweten, die een beetje aan de spiraalvormige schoorsteenafsluitingen op het dak van het Palacio Güell doen denken (en die later als afsluiting van de klokketorens op de Sagrada Famila terugkeren). Dit was het enige echt speelse ornament dat hij zich toestond.

Verder ging Gaudí geheel op de thematiek van de orde in. Met dit gebouw begon Gaudí met het toepassen van symbolische verwijzingen, wat in de loop der jaren nog zou toenemen. Zo zette hij de spitse tinnen op het dak kleine doctorshoeden op, waarmee hij de heilige Theresia als wetenschapper wilde eren. Ze werden echter al snel (1936) weer verwijderd. Het wapen van de orde is zes keer te zien, en het mooiste op de tribune in het midden van de voorgevel. Ook de initialen van de heilige Theresia zijn zes keer in smeedijzer te bewonderen. Tussen de bovenverdiepingen loopt op de gevel tussen het natuursteen een band van twee lagen baksteen, waarin zich tegels bevinden waarin de initialen van Jezus zijn ingebrand. In totaal zijn deze initialen 127 keer in keramiek en nog 35 keer in smeedijzer te zien. Men zou deze optelling nog kunnen voortzetten. Dergelijke verwijzingen kunnen als speelse elementen aangeduid worden, maar ze zijn wat verhuld. Men moet goed kijken om ze te ontdekken. Op deze manier wordt het gebouw tot een klein geheim; de 'openbaring' is verborgen. Het gebouw vereist intensieve aandacht voor zijn geheimen, waardoor het een soort belichaming van de ordeheilige werd: het ordehuis van de mystica is zelf een klein mysterie. Het is de vraag of dat door alle tijdgenoten werd ingezien. Anders had men misschien niet zomaar een deel van de symbolen, de doctorshoeden, verwijderd (waarin men waarschijnlijk slechts een gril van de om zijn grillige bouwhumor inmiddels bekend staande architect zag).

Spiraalvormige zuilen in de eetzaal op de benedenverdieping (links). Doorgang en hoofdgang op de benedenverdieping (rechts).

Casa Calvet

1898 - 1900

Hoewel Gaudí vooral als meester van grootse bouwwerken naam heeft gemaakt, zijn de meeste van zijn werken vrij klein en hebben ze vaak heel gewone functies.
Het Casa Calvet moest een bedrijf en een woonhuis gaan herbergen. Misschien heeft Gaudí zich daarom zo ingehouden - het Casa Calvet (in de Calle de Casp in Barcelona) is zijn meest conventionele gebouw. Hij kreeg voor deze prestatie dan ook onmiddellijk een onderscheiding van de stad; het bleef de enige officiële erkenning. Misschien waren ze bij de afdeling bouwkunde blij dat Gaudí zich midden in Barcelona niet zulke grillige architectonische vondsten had gepermiteerd als bij zijn vorige huizen. Een beetje daarvan is er echter toch te vinden: drie uitdagend omlaagkijkende hoofden van heiligen bovenaan de gevel, rijk versierde hijsbalken - en een hoogte die de voorgeschreven limiet te boven ging.

O AQUI HAY UN COLEGIO

Boven: mooi bewerkte erker aan de voorgevel boven de hoofdingang.

Bladzijde 97: façade van het Casa Calvet, gezien vanuit de Calle de Casp.

Bladzijde 99: achtergevel van het Casa Calvet. Balkons en erkers wisselen elkaar af. Net als bij de voorgevel komt hier een ritmische herhaling tot zijn recht.

Bladzijde 100: de hal met lift en trap.

In 1898 begon Gaudí aan de bouw van Calle de Casp 52 (nu heeft het pand nummer 48) in Barcelona, een woonhuis van behoorlijke grootte. Het was niet zijn eerste opdracht in dit genre. In het begin van de negentiger jaren had hij in León voor Don Mariano Andrés en Don Simón Fernández een groot woon- en bedrijfspand gebouwd, dat wat de functie betreft op de opdracht in Barcelona leek: bedrijfsruimte in het onderste deel en vanaf de eerste etage woningen. In León werden het twee grote en vier kleinere woningen. Het bouwwerk daar heeft imposante afmetingen en lijkt eerder op een paleis dan op een woonhuis. Dat ligt ook aan de omgeving: meteen naast dit Casa de los Botines stond het paleis van de familie Guzmán. Gaudí hield daar een beetje rekening mee door het gebouw aan de zijkanten ronde erkers te geven die als torens oprijzen en met hun spits toelopende ronde toppen het verder vrij strakke dak wat mooie accenten geven. Verder kon Gaudí in León een vrijstaand huis bouwen, dat aan twee kanten ook nog aan de Plaza de San Marcelo staat.

In de Calle de Casp in Barcelona waren de omstandigheden wat ongunstiger. Gaudí moest het pand zonder tussenruimte in een bestaande rij huizen invoegen. Dat was een nieuwe ervaring voor hem, want zelfs bij het Casa Vicens kon hij door een goede ruimtelijke indeling een behoorlijke open ruimte creëren, waardoor het huis groter overkomt dan het werkelijk is. Vergeleken daarmee wekt het Casa Calvet (genoemd naar de opdrachtgevers, de erven van Pere Màrtir Calvet) een bijna kwijnende indruk. Het pand wordt door de aangrenzende huizen stevig ingesloten. Gaudí kreeg door deze situatie dan ook meteen problemen met de buren. De nonnen van een in de buurt staand klooster begonnen een kort geding tegen de bouw. Daarop plaatste Gaudí een 'zichtmuur' op de binnenplaats en bewees zich daarmee weer eens als praktisch architect. Deze beschutting laat vrijwel geen doorkijk toe, maar geeft toch door de zorgvuldig geconstrueerde gaten veel licht door: de gaten hebben aan de bovenranden afgeschuinde bogen, zodat een soort jalouzie-effect ontstaat.

Ondanks de relatief smalle ruimte moest het huis wel talrijke doeleinden vervullen. Het souterrain en de begane grond moesten, net als in León, als opslag- en bedrijfsruimte functioneren. De bovenste verdiepingen moesten woningen worden. Daarom bouwde Gaudí - anders dan in León - meer in de hoogte dan in de breedte. Boven de benedenverdieping verheffen zich nog vier etages. Gaudí ontwierp een voor zijn doen zeer eenvoudig gebouw, dat bijna symmetrisch is. Op het trappenhuis sluiten twee, bijna vierkante, binnenplaatsen van gelijke grootte aan. Aan de zijkanten bevinden zich nog twee andere die meer rechthoekig zijn. Ze dienen vooral voor de lichtverzorging van de woningen.

Van de bouwwerken van Gaudí is het Casa Cavet het meest conventionele huis en de structuur ervan bijna saai. Dat hij uitgerekend met dit ontwerp in conflict kwam met de autoriteiten, is bijna ironisch: het gebouw heeft twee elegant gevormde, ronde topgevels, die boven de wettelijk voorgeschreven hoogtelijn uitkwamen. Dat kan zelfs bij deze nogal nuchtere bouwstijl een uitdrukking zijn van Gaudí's steeds weer blijkende architectonische grappen of van zijn eigenzinnigheid, want deze uitstekende gevels hadden weggelaten kunnen worden; ze hebben slechts een ornamentele functie, net als de torentjes op het Casa Vicens of de Moorse toren van El Capricho. Ook Gaudí's houding in dit conflict was

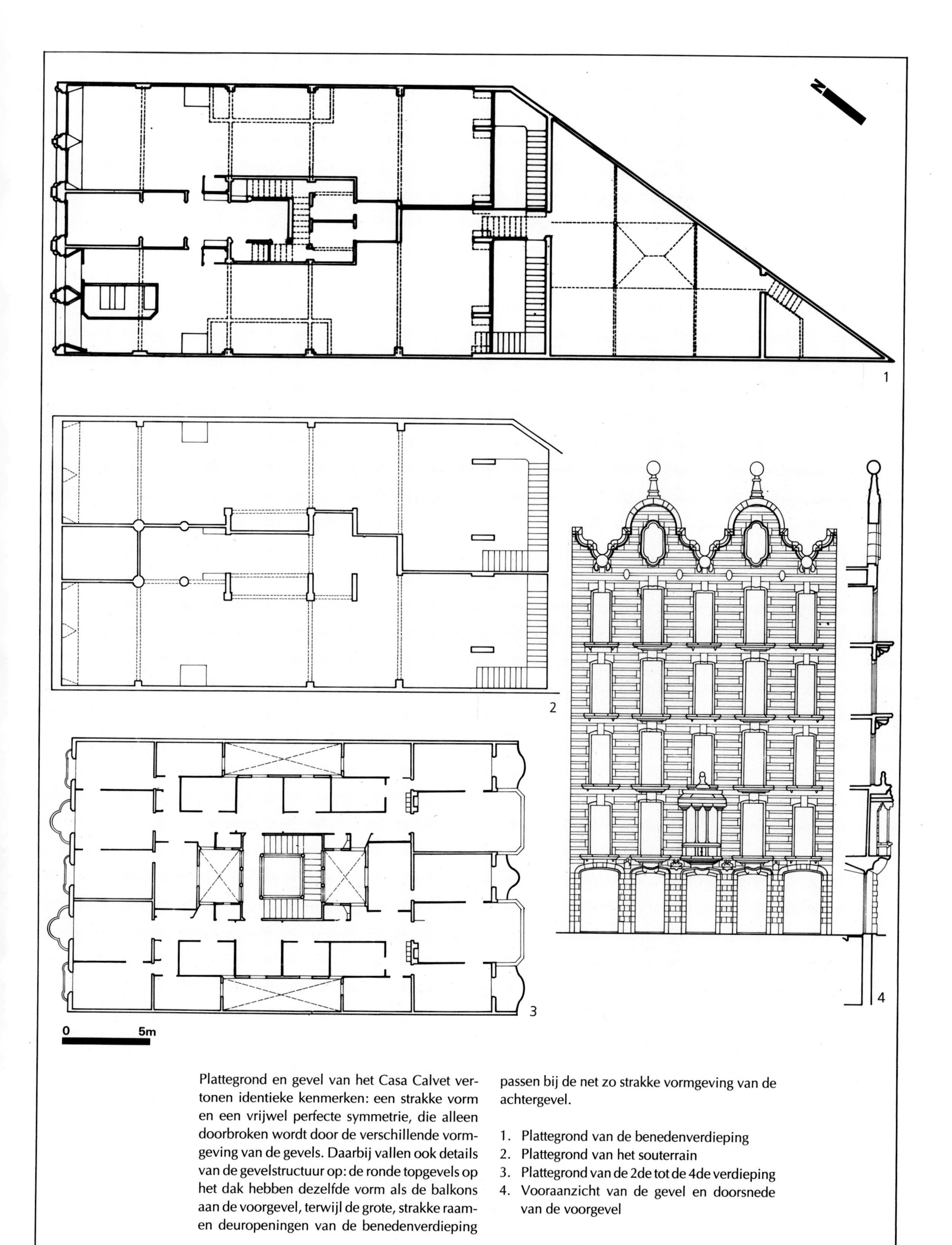

Plattegrond en gevel van het Casa Calvet vertonen identieke kenmerken: een strakke vorm en een vrijwel perfecte symmetrie, die alleen doorbroken wordt door de verschillende vormgeving van de gevels. Daarbij vallen ook details van de gevelstructuur op: de ronde topgevels op het dak hebben dezelfde vorm als de balkons aan de voorgevel, terwijl de grote, strakke raam- en deuropeningen van de benedenverdieping passen bij de net zo strakke vormgeving van de achtergevel.

1. Plattegrond van de benedenverdieping
2. Plattegrond van het souterrain
3. Plattegrond van de 2de tot de 4de verdieping
4. Vooraanzicht van de gevel en doorsnede van de voorgevel

eigenzinnig. Nadat hij na het protest van de nonnen een oplossing had gezocht, stelde hij zich tegenover de autoriteiten onverzettelijk op. Hij dreigde de gevel, precies op de voorgeschreven hoogte, gewoon af te snijden. Hij weigerde er iets aan te veranderen. Hij zette door, en ging zover dat hij er nog twee 'kronen' in de vorm van kruisen bovenop plaatste, wat de verder zo strakke gevel een bepaalde luchtigheid, een drang naar boven verleent. Het was toch al in dit bovenste deel dat hij zijn scheppingsdrang liet gaan. Vanaf de gevels kijken de hoofden van drie martelaren naar beneden. Verder gebruikte hij de gevels voor de bijzonder nuttige hijsconstructies, waarmee de meubelen omhooggehesen kunnen

Boven: plafond van de salon met bloemmotief. Het hele huis heeft zulke prachtige houten plafonds.

Bladzijde 103: Gaudí gaf kunstig vorm aan de muren. Jugendstilachtige bloemmotieven staan tegenover de strakke stenen lijsten van ramen en deuren. De helblauwe tegels contrasteren weer sterk met de strakke muurdelen van baksteen.

worden. Het past bij Gaudí's eigenzinnigheid dat hij al deze elementen aanbracht op een hoogte die ze van de straat af bijna onzichtbaar maakt. Toen tijdens de bouw op een dag de Güells langskwamen om te kijken, vroeg Güells vrouw wat dat daarboven toch voor ingewikkelde dingen waren. Gaudí antwoordde dat het kruisen waren, die inderdaad "voor ingewikkelde zaken en veel ergernis hadden gezorgd".

Minder opvallend, maar wat de werking betreft niet minder belangrijk, is de vormgeving van de gevels. Wanneer men het Casa Calvet vergelijkt met de strakke, gladde gebouwen waardoor het ingesloten wordt, lijkt het - niet alleen door de twee puntgevels - veel groter. Dat kan aan de balkons liggen, die met hun rond naar voren welvende gietijzeren hekken de indruk geven dat de hele gevel naar voren welft. Gaudí moet dit met opzet

Despatx

gedaan hebben, want hoewel het Casa Calvet vrijwel symmetrisch is gebouwd, heeft hij de balkons verschillende vormen gegeven. De balkons aan de buitenzijde zijn kleiner en minder gewelfd dan de middelste. Verder maakte hij in het midden, boven de hoofdingang, een grote erker die bijna barokke vormen heeft. Hier ontvouwde hij ook sterk zijn neiging tot symbolische verwijzingen, die in de Sagrada Familia het sterkst tot uiting zou komen. De ingang draagt een afbeelding van het familiewapen en van een cypres, het symbool van de gastvrijheid.

Het huis krijgt echter ook volume door het gebruik van een materiaal dat Gaudí tot op dat moment alleen in combinatie met andere materialen had toegepast, namelijk grote natuurstenen. De onregelmatige oppervlakken daarvan voorkomen een indruk van vlakheid, die bij deze strakke gevel anders gemakkelijk had kunnen ontstaan.

Ook hier kan een vergelijking opheldering geven: de achtergevel had op dezelfde manier gevormd kunnen worden. In principe is dat ook zo, maar in plaats van de naar voren welvende balkons zien we hier twee rijen glazen (rondom van luiken voorziene) erkerachtige uitbouwsels. Daardoor lijkt deze gevel vlakker en zijn de muurdelen niet met natuursteen maar met gladde steen bekleed. Aan zulke kleine afwijkingen van de belangrijkste stijlelementen herkent men de meester van het detail, die ook op de wensen van de opdrachtgevers inging. De martelaarsfiguren aan de gevel zijn een voorbeeld: naast de heilige Petrus zien we de beschermheilige van de heer des huizes, de heilige Pere Màrtir, en de beschermheilige van de geboorteplaats van Calvet (hoewel ze van beneden af niet te herkennen zijn).

Gaudí's voorliefde voor zinvolle en symbolische details is ook te zien

Bladzijde 104: bank en grote spiegel in de hal. Opvallend zijn de blauwe tegels.

Bladzijde 106/107: Gaudí maakte voor het Casa Calvet meer meubilair dan voor het Palacio Güell. Daarbij inspireerde hij zich vooral bij de zitmeubelen (bladzijde 107) op de vormen van het menselijk lichaam.

Onder: kunstig uit eikehout gesneden en gepolijste meubelen die door Gaudí werden ontworpen.

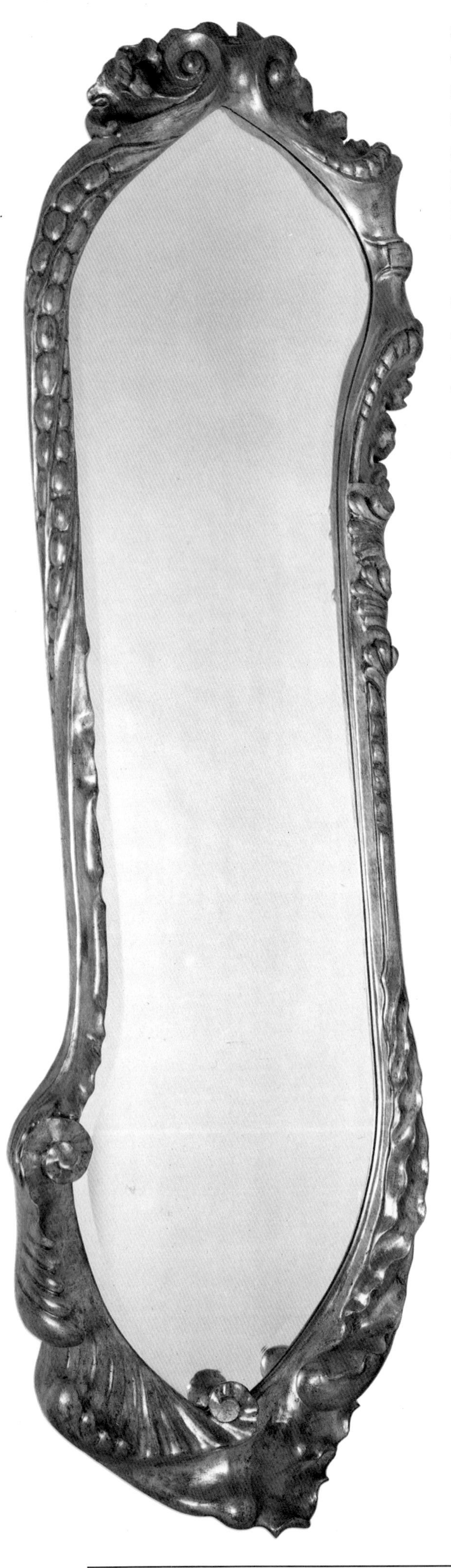

aan de relatief terughoudende versiering van de voorgevel. Op de eerste verdieping, de woning van de heer des huizes, bevinden zich paddestoelmotieven; Calvet was een geestdriftig paddestoelverzamelaar en -kenner. Ook de ingang is met symbolen vormgegeven. Naast de cypres, die de erker boven de ingang versiert, verrast de deurklopper de gast met een bijzonder zinvol motief. De klopper slaat op de rug van een luis, die hier het kwade uitbeeldt. Met elke klop overwint de bezoeker dus het kwade, voordat hij naar binnen gaat.

Ook van binnen is het huis minder verrassend. De gedraaide zuilen van de trap zijn wel mooi maar in verhouding dun en rustig en ze zijn - ook al lijkt het zo - niet van graniet. Wel opvallend zijn de contrastief geplaatste tegels van de trapopgang. Deze doen met hun helderblauwe draaimotieven denken aan illustraties van William Blake, die een van de voorlopers van de Jugendstil was. Architectonisch is dit huis niet zo heel bijzonder, hoewel de beide kleinere binnenplaatsen voor die tijd iets nieuws hadden: doordat Gaudí ze direct aan het trappenhuis liet grenzen, betrok hij ze als toegevoegde ruimten bij de opbouw van het huis. Het meest bijzondere van het huis is het 'meubilair', waarbij dit begrip ruim moet worden gezien. Men mag daar ook de prachtig gevormde deuren toe rekenen, die met hun grote donkerbruine vlakken als rustpunten werken. Daaronder vallen ook kleinigheden als de metalen kijkgaten op, die Gaudí zelf ontworpen heeft door zijn vinger in zacht gips te steken en de smid deze vorm te laten namaken.

Er is nog iets dat dit huis boven de andere werken van Gaudí doet uitsteken. Net als bij het Palacio Güell ontwierp hij meubelen voor de opdrachtgever. De huidige huiseigenaar zorgt ervoor dat niet alleen het huis, maar juist ook het meubilair in de oorspronkelijke vorm bewaard blijft. Gaudí's meubelen zijn sterk door de Jugendstil beïnvloed. Daarbij volgde Gaudí ook in de vormgeving van de zitmeubelen het karakter van het huis, dat vrij strak is maar speelse en zinvolle details heeft. Vergeleken met de weelderig versierde meubelen van het Palacio Güell lijken de zitvlakken en rugleuningen hier eerder ingehouden. Af en toe worden de leuningen onderbroken en de poten lopen elegant uit. De grote, bijna onversierde vlakken hebben een verrassend soepel effect; ze lijken iets organisch te hebben, terwijl ze toch geen gelijkenis met dieren of planten laten zien.

Zo herhalen de meubelen het wezenlijke karakter van dit huis: het samenspel van zakelijkheid en barokke vormen, die weliswaar nergens overheersend worden.

Crypte Colònia Güell

1898 - 1917

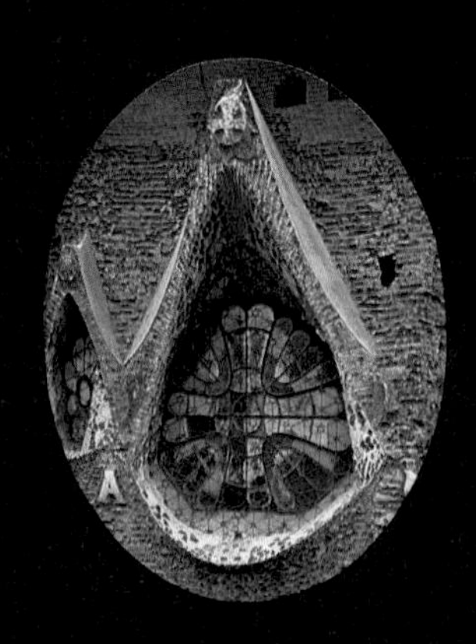

Het moest een kerk worden. Er bestond een bouwtekening van Gaudí's hand (afbeelding rechts), die echter nauwelijks details laat zien. Gaudí vertrouwde op zijn inspiratie tijdens de werkzaamheden. Dit was typisch voor zijn manier van werken - een reden waarom hij de meeste van zijn bouwwerken niet zelf voltooide. Dat geldt in sterke mate voor de Crypte. Op grond van de tekening kunnen wij ons er slechts een vaag beeld van vormen hoe Gaudí zich dit prachtige bouwwerk voorstelde. Er zijn duidelijke overeenkomsten met zijn levenswerk, de Sagrada Familia. Op het bouwterrein - midden in de arbeiderswijk Santa Coloma de Cervelló, die werd ontworpen door Eusebi Güell in 1898 - is tot op de dag van vandaag alleen maar dat gedeelte te zien dat men gewoonlijk bij kerken nauwelijks te zien krijgt: de Crypte. Maar zelfs dit fragment is al zo geniaal, dat het zonder meer tot Gaudí's meesterwerken gerekend kan worden.

Bladzijde 109: schets van de kerk van Colònia Güell. Voorbeeld voor deze schets was een foto van een nogal merkwaardig model: Gaudí had kleine zakjes met loden balletjes aan touwtjes opgehangen. Het gewicht van de zakjes kwam (in verhouding 1:10.000) overeen met de belasting die de zuilen en bogen volgens zijn berekeningen moesten dragen. Op die manier ontstond een omgekeerd model van het hele gebouw.

Bladzijde 111: zuilenhal en ingang van de Crypte. De steunpilaren zijn naar boven toe asymmetrisch vertakt en imiteren de takkenstructuur van de pijnbomen die rondom de Crypte staan.

Gaudí besteedde steeds meer tijd aan de constructie en de voltooiing van zijn gebouwen, en hij week steeds meer hij af van de heersende tradities binnen de architectuur - niet alleen wat de stijl betreft. Zijn hele oeuvre sinds het begin van deze eeuw getuigt van een ontwikkeling die van gebouw tot gebouw consequent werd doorgezet. Het begin van deze ontwikkeling vormt de Crypte, het enige voltooide deel van wat een grote kerk had moeten worden. Alleen al daarom moet men dit werk in relatie tot het snel groeiende project zien, dat steeds meer tijd en energie van Gaudí vergde: de Sagrada Familia.

Gaudí's vriend Güell had in 1898 een textielfabriek met een daaraan grenzende arbeiderswijk gesticht, die zuidelijk van Barcelona, in Santa Coloma de Cervelló lag. Gaudí's Crypte, zijn bijdrage aan deze arbeiderswijk, is daarom onder verschillende namen in de literatuur te vinden: als Crypte van de Colònia Güell, als kerk in Santa Coloma - hetgeen wat al te veel van het goede is, want het enige wat van deze groots geplande kerk gerealiseerd werd, was het onderste deel, de Crypte, die als kapel Güell, als Güell-kerk of als Santa Coloma in de literatuur opduikt, wat zo nu en dan tot enige verwarring kan leiden.

Er was inderdaad een kerk gepland; hoe deze eruit moest zien, daarvan kan een tekening van Gaudí een zekere voorstelling geven, maar meer ook niet. Net als de tekeningen van de Sagrada Familia geven Gaudí's bouwtekeningen vooral een algehele indruk, een sfeer. En toch is deze tekening interessant genoeg, minder vanwege de geplande kerk in de Colònia en meer vanwege het feit dat ze stilistisch op de Sagrada Familia vooruitloopt. Zo staan bijvoorbeeld op de tekening een hele reeks torentjes die later bij de Sagrada Familia alleen maar wat slanker en spitser gerealiseerd werden. Daar ook vinden we de paraboolvormige bogen, die voor het eerst in de ontvangstkamer van het Palacio Güell verschijnen. Het onderste gedeelte van de kerk vertoont een horizontaal verlopende, royaal golvende lijn, die in het dak van de school van de Sagrada Familia

Boven: foto van de bouwwerkzaamheden in 1913.

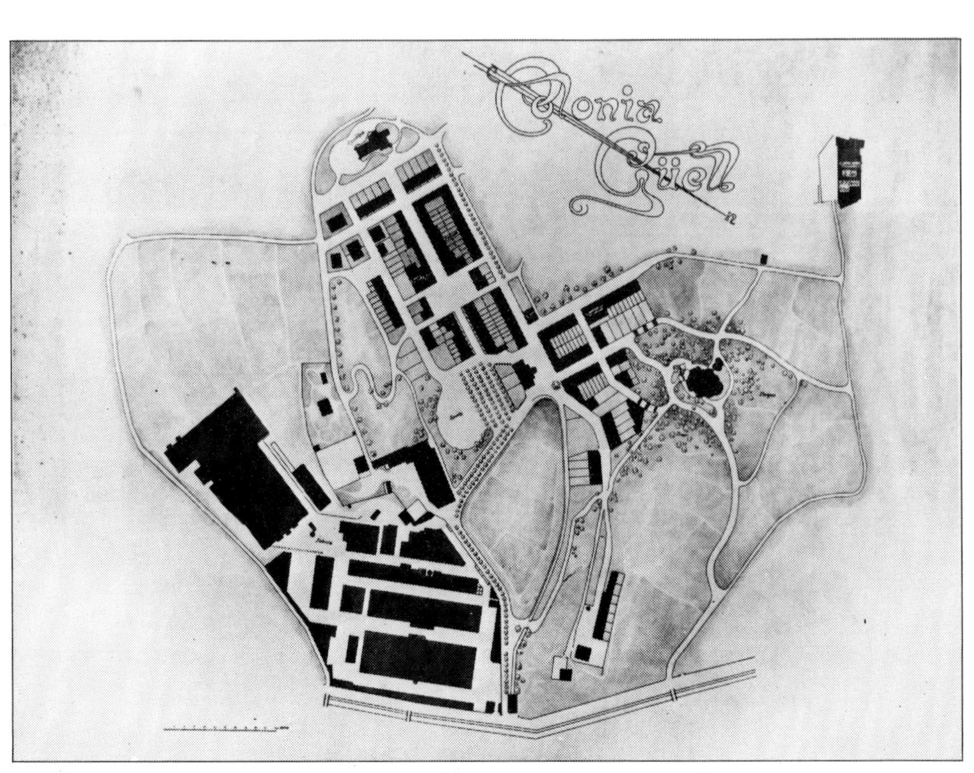

Rechts: plattegrond van de Colònia Güell.

Bladzijde 112/113: overzichtsfoto van de Crypte. De zuilenhal lijkt op een door de natuur gevormde grot.

terugkeert. Hetzelfde golfmotief vinden we terug in de bank van het Park Güell. Een derde element dat vooruitloopt op de Sagrada Familia, is de reeks schuine pilaren. Ook deze vinden we terug in het Park Güell dat ongeveer in dezelfde tijd als de Crypte ontstond. Park en kerk zijn architectonisch nauw aan elkaar verwant.

Maar hoe de kerk boven de al bestaande Crypte moest verrijzen, is nu nauwelijks voor te stellen. De Crypte ligt tegen het bovenste deel van een met pijnbomen begroeide heuvel aan, wat betekent dat het achterste gedeelte niet bereikbaar is. Voor de Crypte bevindt zich een groot toegangsportaal dat door zuilen gedragen wordt. Het is moeilijk voor te stellen dat dit geheel de basis voor een grote kerk zou zijn, maar Gaudí zorgde altijd al voor grote verrassingen. Meestal begrijpt men pas achteraf, wanneer het gebouw voltooid is, hoe de afzonderlijke delen zich stilistisch en bouwtechnisch tot een geheel samenvoegen. Wat dat betreft, is het jammer dat de kerk niet voltooid werd en dat er in tegenstelling tot de Sagrada Familia geen gipsmodel van bestaat, dat in de jaren na Gaudí's dood voldoende aanknopingspunten zou hebben gegeven om de bouw voort te zetten.

Ook voor de Crypte had Gaudí een model nodig. Dit model was echter meer een hulpmiddel bij de statistische berekening. Meer dan tien jaar werkte Gaudí aan deze kleine Crypte - een lange tijd, die slechts te rechtvaardigen is, wanneer men de constructiewerkzaamheden als voorbereiding voor de grootse Sagrada Familia ziet.

Onder: zuilenhal die door paraboolvormige bogen wordt gesteund.

Grot naast de zuilenhal. Vanuit de steunpilaren vertakken zich een reeks ronde bogen.

En inderdaad is de Crypte een soort experiment voor de staticus Gaudí, die hier de twee basiselementen van zijn constructies ontwikkelde, namelijk de al genoemde paraboolvormige boog en de schuine zuilen. Gaudí bouwde met zijn assistenten en collega's een model, met behulp waarvan hij de druk die bogen en zuilen te dragen hadden kon bepalen: aan dunne touwtjes hing hij zakjes lood met het gewicht dat op bogen en zuilen zou rusten (met een gewichtsverhouding van 1:10.000). Zo kreeg hij een omgekeerd model, dat hij alleen maar hoefde om te draaien om de structuur van het te bouwen ontwerp te krijgen. Dit was typisch voor de empirische werkwijze van Gaudí, die zijn ontwerpen niet achter de tekentafel concipieerde.

Aan de Crypte zelf is dat niet zonder meer te zien, want wat Gaudí bestudeerde was eigenlijk alleen maar het geraamte. Aan het voltooide gebouw is wel duidelijk het resultaat van deze geraamte-constructie te zien. Op de eerste plaats vallen de zuilen op. Gaudí paste het gebruikelijke materiaal toe - bakstenen en gedeeltelijk ook ronde tegels die hij speciaal liet fabriceren. Verder gebruikte hij basalt, dat hij in grote blokken tot zuilen samenvoegde. De voegen van deze steenblokken werden met lood verbonden. Wanneer men langzaam het centrum van de Crypte, het altaar, nadert, bukt men zich onwillekeurig. Door de scheve stand van de zuilen krijgt men de indruk, dat het geheel op het punt staat in te storten. Tegen zijn gewoonte in heeft Gaudí juist bij de centrale steunpilaren niet

voor een baksteenconstructie gekozen, maar grote, massieve basaltblokken genomen. Misschien kwam hij tot deze keuze om de fragiele indruk van het gewelf niet nog eens te versterken.

Van een echt gewelf is in deze altaarruimte echter geen sprake. Het plafond bestaat, net zoals in Bellesguard, uit talrijke bakstenen boogjes. Daardoor lijkt de ruimte naar boven toe minder zwaar; het plafond lijkt de zuilen minder zwaar te belasten. Deze indruk wordt versterkt door de lichte basaltzuilen en de gedeeltelijk bepleisterde baksteenzuilen. De ruimte zelf wekt de indruk van een grot, waarvan de plafondstructuren uitgehakt zijn. De elementen in dit gebouw herhalen zich nooit. Alle zuilen zien er verschillend uit, als boomstammen in de natuur. De Crypte en het tegelijkertijd gebouwde Park Güell ontlenen meer dan alle andere werken van Gaudí hun vormen aan de natuur, zonder in directe nabootsing te vervallen. Hoezeer hij rekening hield met de natuur, blijkt uit de trap naar de Crypte (wat de ingang van de eigenlijke kerk had moeten worden). Op deze plek stond een oeroude pijnboom, die een andere architect zonder twijfel had laten omhakken. Gaudí echter liet hem staan en leidde de trap eromheen. Een trap, zo meende hij, was snel genoeg gebouwd, een boom daarentegen had jaren nodig. De op die manier ontstane trap, die met haar onregelmatige kromming de bezoeker om de Crypte heen lijkt te voeren, versterkt het natuurlijke karakter van het hele gebouw.

De eigenlijke altaarruimte, die alle aandacht vestigt op het sacrale centrum (boven het altaar komen de bakstenen bogen stervormig in een punt samen), wordt omringd door een u-vormig gangpad, dat eigenlijk niet bij de Crypte past. In tegenstelling tot het geplande middenschip van de

Bladzijde 116: sluitsteen van de zuilenhal. Zaag en anagram zijn symbolen voor de timmerman en verwijzen naar de heilige Jozef.

Bladzijde 118: binnenkant van de Crypte. Het plafond wordt door zuilen van basalt- en baksteen gedragen.

Onder: kleurrijk mozaïek boven de ingang van de Crypte.

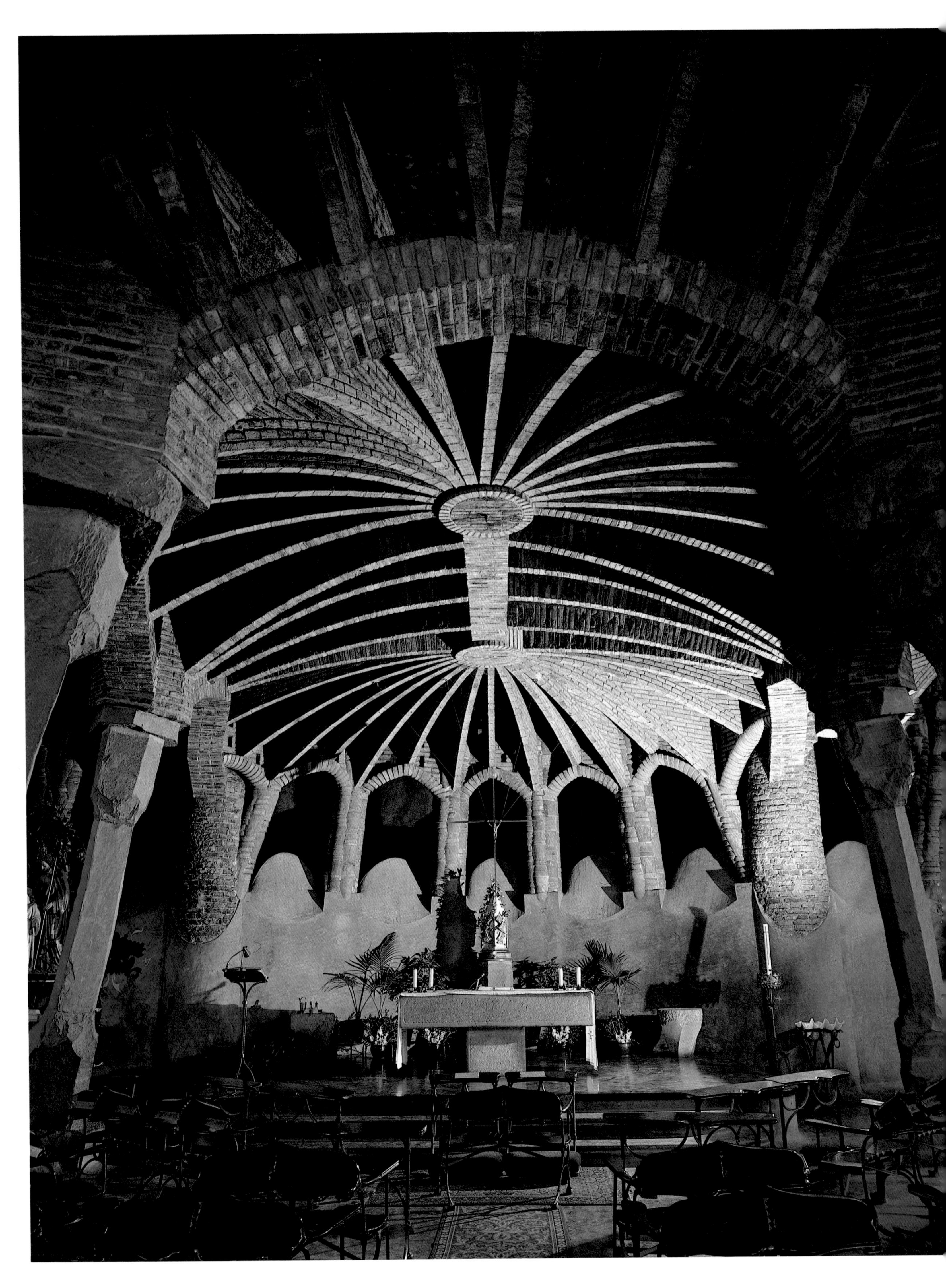

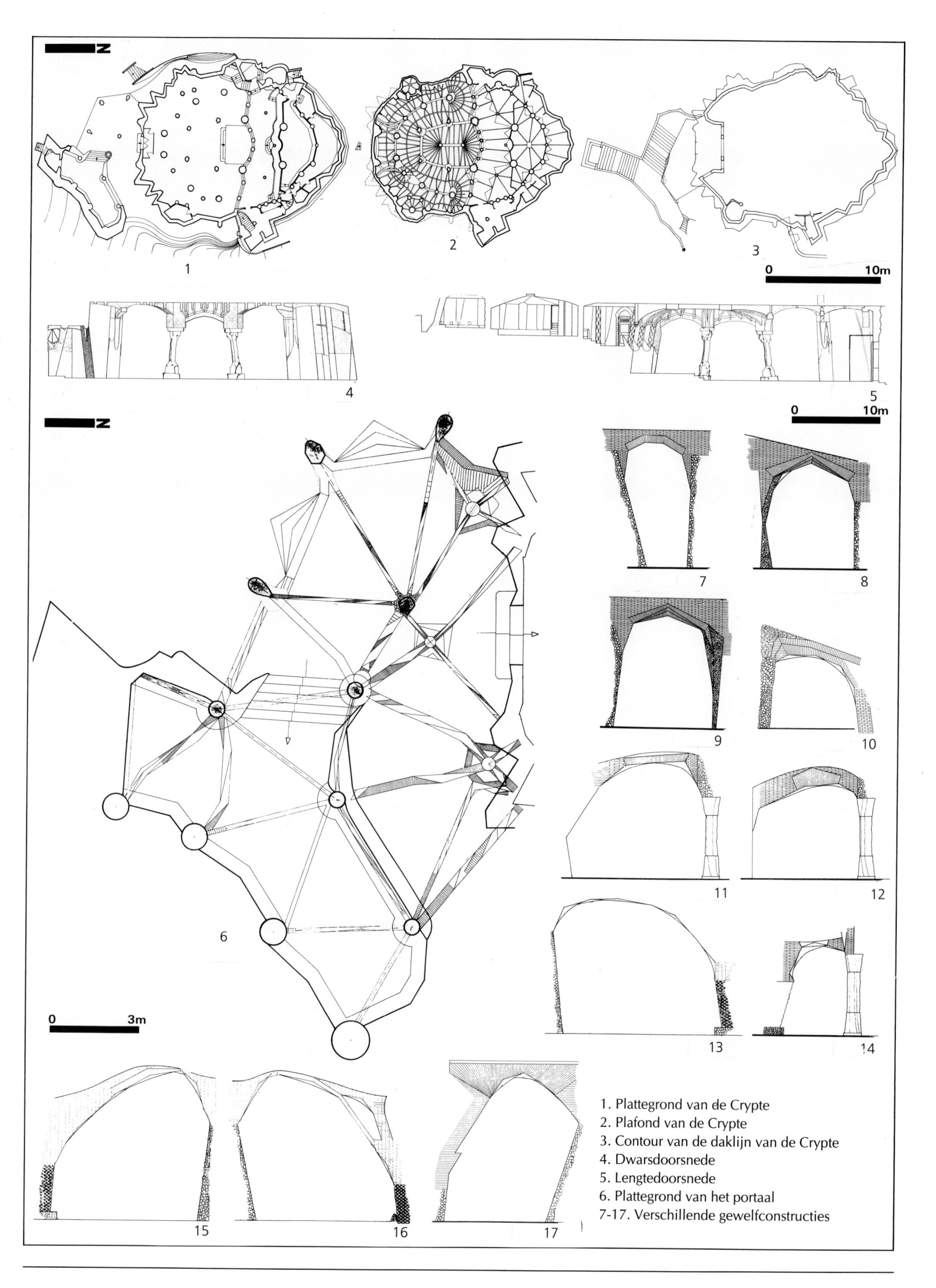

1. Plattegrond van de Crypte
2. Plafond van de Crypte
3. Contour van de daklijn van de Crypte
4. Dwarsdoorsnede
5. Lengtedoorsnede
6. Plattegrond van het portaal
7-17. Verschillende gewelfconstructies

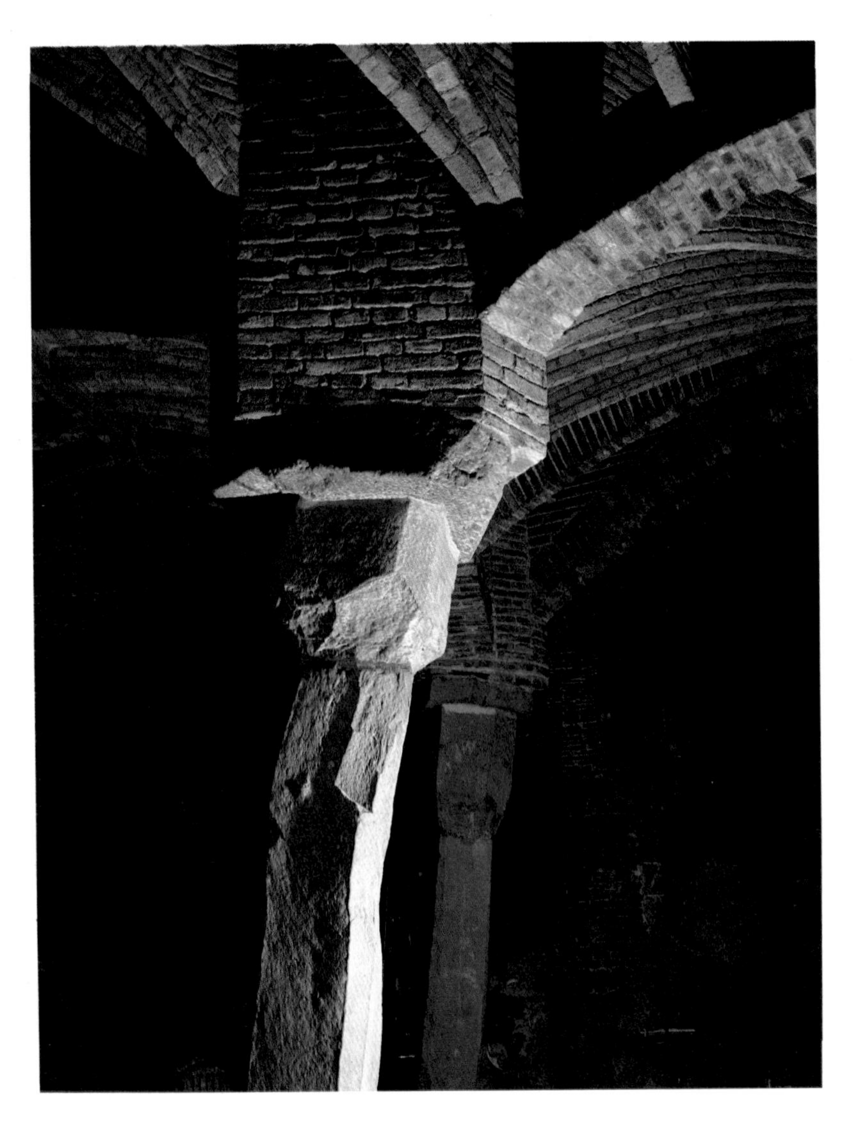

Kapiteel van de schuine steunpilaar en stutten van gemetseld baksteen (links). Bovenste deel van steunzuil en plafondribben (rechts).

Sagrada Familia, dat een zuilenconstructie heeft die aan een woud doet denken, heeft de Crypte Colònia Güell met haar talloze zuilen, die een bezoeker het zicht ontnemen, meer weg van een oerwoud. De zuilen vertakken zich naar boven toe in alle richtingen waardoor een netwerk van lijnen ontstaat. De zuilen pakken de structuur van de pijnbomen op en vormen een geleidelijke overgang van de natuur naar de architectuur. De bouwprincipies van de zuilengang lijken op die van de Crypte, maar zijn hier wat markanter. De gang bestaat praktisch alleen uit bepleisterde paraboolbogen en schuine muren, respectievelijk zuilen. De zuilen steunen het gewelf dat op zijn beurt weer als fundament voor de trap die naar de hoofdkerk leidt, fungeert. Net als bij het plafond van 'de Griekse tempel' in het Park Güell, dat gelijktijdig dient als bodemconstructie voor het terras van het marktplein, zijn hier dak- en bodemfuncties verenigd. Gaudí heeft hiermee een synthese van steun- en lastfuncties tot stand gebracht, die bij de zuilen van de Sagrada Familia hun perfectie zullen bereiken.

Tevens is het hem bij de bouw van deze Crypte gelukt een ideale verbinding tussen de natuurlijk aandoende organische vormen van het geheel en de mozaïekversieringen tot stand te brengen. Deze stammen van zijn medewerker Jujol, die ze ook in het Park Güell - en daar des te uitbundiger - toepaste. De verwantschap met de Sagrada Familia is ook hier

opvallend: twee keer wordt in de mozaïeken verwezen naar Jozef, de schutspatroon van de Sagrada Familia.

De kerk van de Colònia Güell bleef onvoltooid. De Crypte met haar zuilenportaal is weliswaar slechts een torso, maar de bewondering die ze afdwingt, is er niet minder om. Het donkere, naturelkleurige gebouw ligt tegen de helling aan en vormt op die manier een tweede kunstmatige heuvel. De architectuur lijkt hiermee een verdubbeling van de natuur. Dat heeft tot in de kleinste details zijn uitwerking op de vormgeving, zoals de vorm van de ramen die even bont zijn als die van Bellesguard, maar geen enkele overeenkomst met de Jugendstilvormen vertonen. De Crypte heeft ramen, waarvan de vorm geheel aan de natuur is ontleend: ze lijken op gestolde druppels, waarin het licht in bonte kleuren gebroken wordt. De Crypte, hoewel het een klein deel is van wat een groot kerkgebouw had moeten worden, is architectonisch gezien een perfect meesterwerk.

Boven: steunzuilen en plafond in de Crypte (links). Schuine basaltzuilen (rechts).

Bladzijde 122/123: buitenmuur van de Crypte met vensters. Het traliewerk van de ramen werd gemaakt van oude weefnaalden uit de fabriek van de Colònia Güell.

Bladzijde 124/125: gekleurde vensters van binnen uit de Crypte gezien (boven). Gekleurde vensters van buiten gezien (onder).

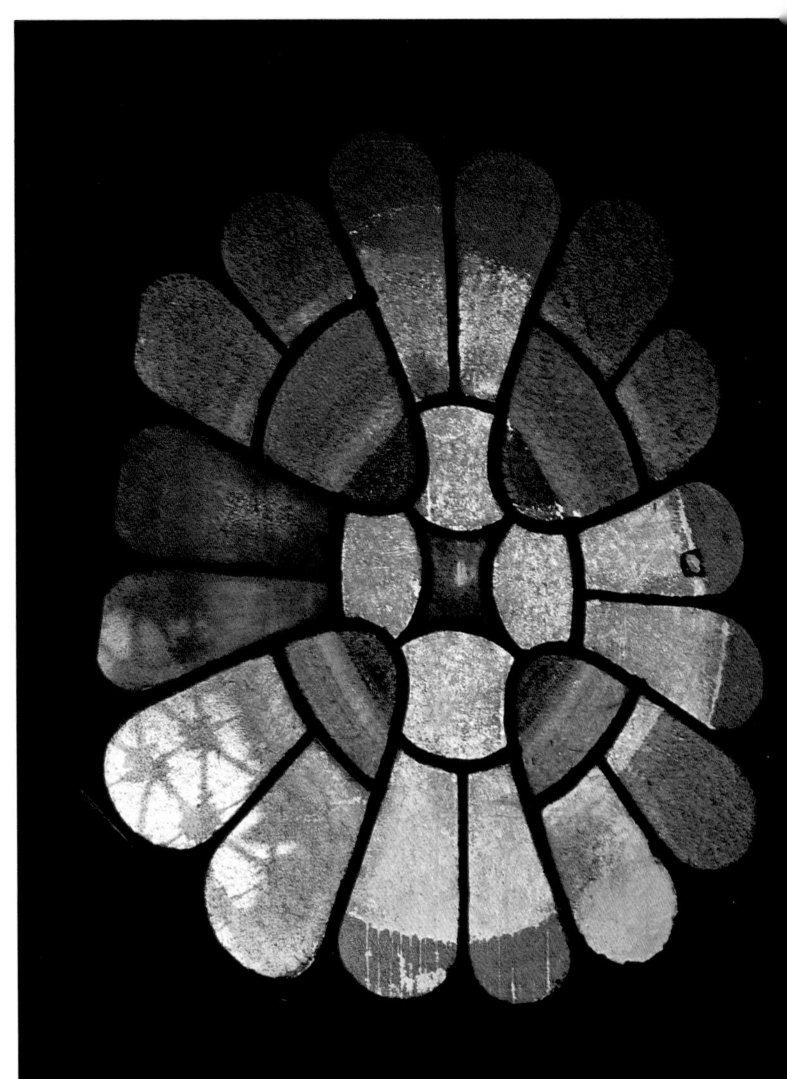
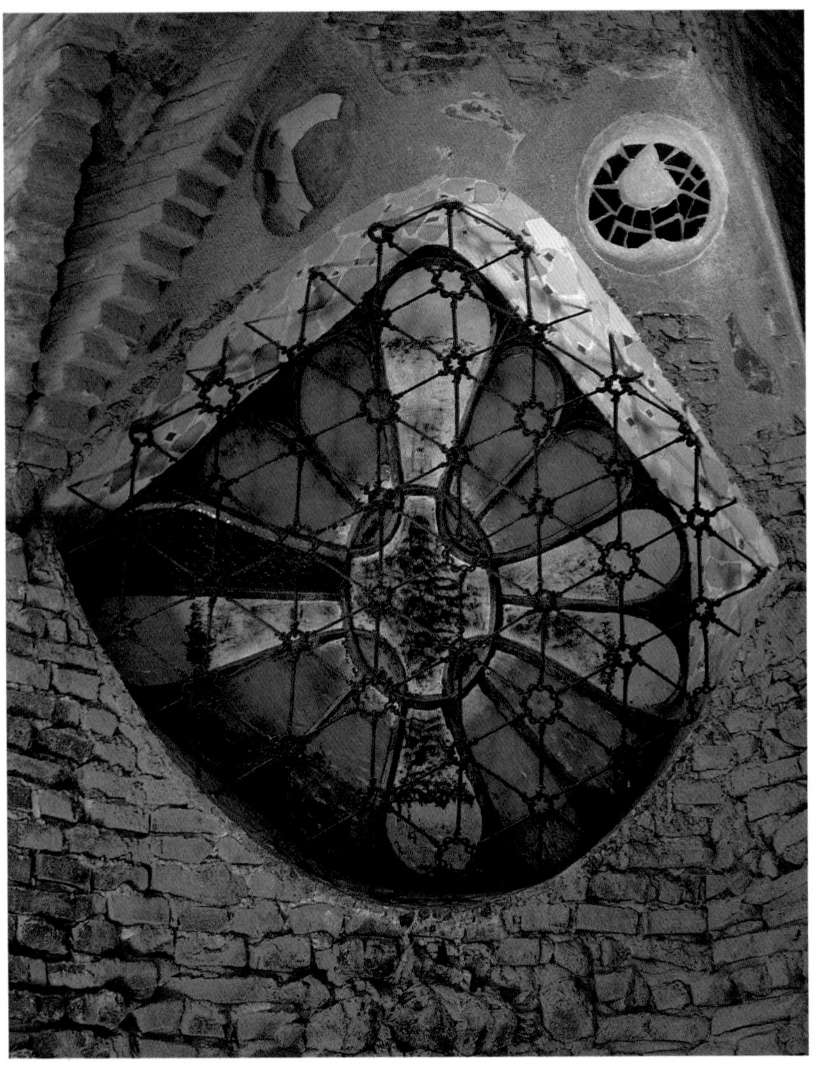

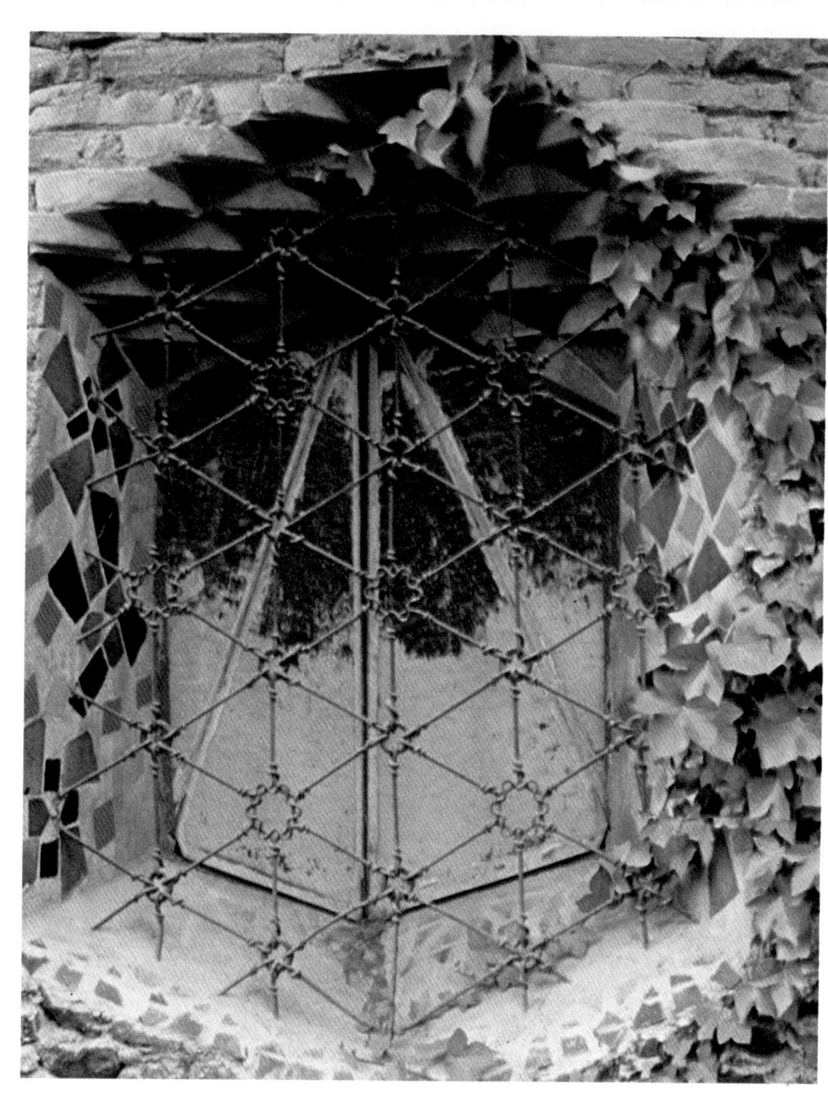

Bellesguard

1900 - 1909

Gaudí was in hart en nieren Catalaan. Bijna in al zijn gebouwen vinden we kleine details die getuigen van zijn nationale gezindheid. In 1900 begon hij een werk dat zou uitgroeien tot een Catalaans symbool. Een droom van een groots verleden. Dit verleden lag in de Middeleeuwen. Gaudí bouwde voor doña María Sagués een landhuis waar een graaf zich niet voor had hoeven schamen. Met de statige poort, slanke kantelen en spitse toren lijkt het op een overblijfsel uit vroegere tijden. Niet alleen de stijl herinnert aan het roemruchte verleden van Cataloniё, maar ook de grond waarop het gebouwd werd. Hier stond eens een prachtig landhuis van Martí I, de laatste koning van Barcelona. De weinige ruïnes van deze heerlijkheid heeft Gaudí uit eerbied laten staan - als gedenkteken voor de Catalanen.

Bladzijde 127: Bellesguard (de naam betekent: 'mooi uitzicht'). Het zomerhuis van María Sagués lijkt een middeleeuws kasteel in miniatuur.

Op de zolderverdieping (onder) construeerde Gaudí de ribben van ruwe baksteen. Op de benedenverdieping met gips bepleisterde boogjes (geheel onder).

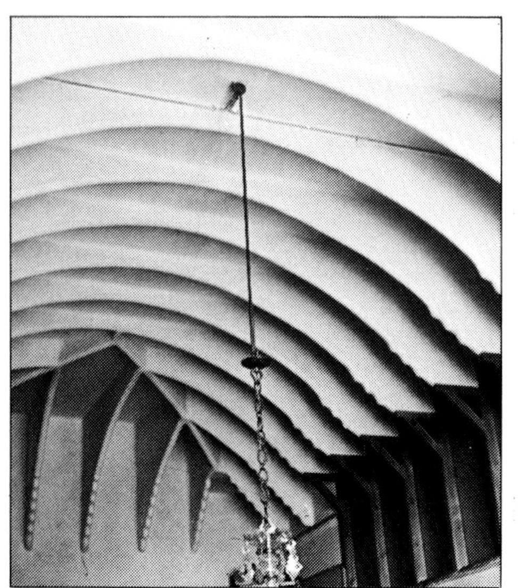

Veel van Gaudí's werken getuigen van zijn Catalaanse afkomst en patriottisme. Niet ten onrechte noemde zijn vriend Joaquim Torres García hem de 'de Catalaan der Catalanen'. Steeds weer treffen we in zijn huizen (bijvoorbeeld in het Casa Calvet en het Casa Milà) de woorden 'Fe, Pàtria, Amor' aan, het motto van Jocs Floral, een Catalaanse dichtwedstrijd. Ook de Catalaanse rood en geel gestreepte vlag vinden we overal terug, evenals de slangekop uit het wapen van Catalonië (bijvoorbeeld als grote mozaïekschaal aan het eind van de grote trap, die toegang geeft tot het Park Güell). In 1907 stelde Gaudí voor om ter gelegenheid van de 700ste verjaardag van koning Jaime I een gedenkteken in de vorm van een zonnewijzer op te richten. Ook de 100ste verjaardag van de Catalaanse filosoof Jaume Balmes in 1910 wilde hij met grootse projecten luister bijzetten. Daar kwam in beide gevallen niets van, aangezien een dergelijke nationalistische denkwijze bij de regering geen weerklank vond. Hij mocht alleen maar twee reusachtige straatlantaarns maken, die in 1924 al weer werden verwijderd. Maar met openbare instituties had Gaudí toch al geen geluk. Zijn plannen en dromen kon hij in de eerste plaats door privé-opdrachten realiseren. Zo is het Catalaanse wapen op het Palacio Güell tot de dag van vandaag bewaard gebleven.

Het meest patriottische gebouw van Gaudí is echter het tussen 1900 en 1909 gebouwde huis Bellesguard. Het ontstond in een tijd waarin Gaudí zijn eerste, voorzichtige pogingen op de weg naar zijn eigen architectuur al lang achter de rug had, maar nog niet als gerijpte, van zichzelf overtuigde architect van het Park Güell optrad.

Vanuit de architectonische structuur beschouwd, laat het huis een duidelijke overgang zien. We vinden oude, gotische elementen en de plattegrond is - net als bij het Casa Calvet - relatief eenvoudig. In het geheel van zijn werken heeft Bellesguard een speciale positie. De verwijzingen naar de Moorse architectuur ontbreken; verder ontbreken de sierlijke lijnen van zijn Jugendstilparafrasen en vooral de kleur, waarvan hij in dezelfde tijd zo uitvoerig gebruik maakte in het Park Güell en waaraan hij tot de torens van de Sagrada Familia trouw zou blijven. Ook al is Bellesguard geen huis met een homogene stijl - wat bij Gaudí toch al nooit het geval is -, toch lijkt het op een overblijfsel uit vorige eeuwen. Mede als gevolg van de bijna vierkante vorm, staat het als een blok steen in het landschap.

Als het dwars geplaatste, al van verre zichtbare kruis niet op de spits van de toren zou staan, dat bijna een kenmerk van de gebouwen van Gaudí is - het is ook op het paviljoen bij de ingang van het Park Güell te zien - zou men kunnen denken dat men een overblijfsel uit de Middeleeuwen voor zich heeft. Gaudí greep in zijn stijl bewust terug op de Middeleeuwen. Al is het landhuis geen voorbeeld van Gaudí's avantgardistische architectuur, het is wel een soort monument van het grootse Catalaanse verleden. Al bij de vormgeving liet Gaudí zich vooral door de plaats inspireren en leiden, net zoals bij zijn andere gebouwen uit deze tijd. Bij het Park Güell is de hele vormgeving in dienst van het landschap gesteld. Bellesguard is uit het historische verleden van de plaats zelf onstaan. Doña María Sagués, de weduwe van Figueras was al lang een bewonderaarster van Gaudí. Ze gaf hem in 1900 de opdracht een gebouw te creëren dat de historische betekenis van de plaats zou moeten laten herleven: op deze plaats heeft Martí I, de laatste koning van Barcelona - met de bijnaam 'de humane' - in 1408 een landhuis laten bouwen. Hij noemde het 'Bell Esguard' ('mooi uitzicht'), een naam, die het huis verdient: het ligt halverwege een heuvel voor de stad Barcelona en biedt een prachtig panorama over de hele stad. Na de dood van Martí I heeft Castilië het roer overgenomen; de grote tijden van Catalonië waren voorbij.

Bij dit bouwwerk grijpt Gaudí heel duidelijk op middeleeuwse elementen terug. De gotische spitsbogen die hij eigenlijk al niet meer gebruikte, komen terug. Een hoge spitse toren aan een van de hoeken steekt hoog boven het indrukwekkende gebouw uit, geheel in de stijl van bepaalde middeleeuwse paleizen. Deze elementen zijn niet direct aan vroegere stijlvoorbeelden ontleend, maar door Gaudí op een geheel eigen manier

Bladzijde 130/131: ingangshal en trappenhuis (links). Ventilatie-opening van de hal en raam in het trappenhuis (rechts).

Onder: hoofdingang van Bellesguard met smeedijzeren deur.

De spitsboogachtige vensters duiden nog één keer op een neogotische invloed. Gaudí zwakte de spitse vorm af door ronde elementen mee te verwerken.

'geïnterpreteerd' en ondergeschikt gemaakt aan het geheel. Zo liet hij bijvoorbeeld onder de kozijnen van de gotisch aandoende vensters grote, kruisvormige motieven aanbrengen, die naar het kruis dat de torenspits bekroont verwijzen.

Eveneens aan de Middeleeuwen herinneren de kantelen die als bij een vesting om het gehele dak lopen. Het bouwwerk kan als een monument worden beschouwd, als een herinnering aan de bloeitijd van Catalonië , iets wat Gaudí in de openbare gebouwen van Barcelona niet kon doorzetten. Een klein mozaïek aan beide zijden van de hoofdingang is dan ook duidelijk als symbolische verwijzing naar de geschiedenis bedoeld: we zien daar twee stralend blauwe vissen, elk onder een gele kroon, waarmee aan de grote zeemacht van Barcelona herinnerd wordt (de door Jaume I geïnstalleerde 'Raad van Honderd' vaardigde al in 1259 de 'Consolat de Mar' uit, het eerste zeerecht in moderne zin, dat later in verschillende landen aan de Middellandse Zee vermoedelijk als voorbeeld voor soortgelijke wetgevingen werd gebruikt.) De smeedijzeren deur van de hoofdingang stamt niet van Gaudí. Hij had een bonte deur ontworpen, die beter bij de strenge architektuur van het kasteeltje paste. Toch valt ook de ijzeren deur niet uit de toon, want de elegante krullen die Gaudí bij andere bouwwerken gebruikte, ontbreken hier. Dat past bij de door Gaudí zelf ontworpen smeedijzeren vensters, die met hun ronde stangen (dit in tegenstelling tot de gebruikelijke hoekige staven) star en afwijzend werken.

Gaudí trachtte de geschiedenis van de plaats ook nog buiten het gebouw te bewaren. De ruïnes van het oude landhuis liet hij staan en verbond ze met het nieuwe huis tot een gemeenschappeljke tuin. Om dit plan te kunnen realiseren liet hij het kerkhofpad omleiden dat tussen twee torenresten doorliep. In plaats hiervan bouwde hij - net als in het Park Güell - een colonnade met ietwat schuin staande zuilen.

Ondanks de wat stroeve, vierkante bouwvorm past het gebouw uitstekend in het landschap. Gaudí combineerde zijn favoriete bakstenen met leisteen, dat in de buurt zelf beschikbaar was. Daardoor kreeg het gebouw een somber aanzien met een fascinerende kleurmengeling van oker en donkergrijs. Deze indruk krijgen we ook in de benedenetages. Het van baksteen gemetselde gewelf wordt gedragen door dikke zuilen, die naar boven toe vertakken en daardoor wat kort en gedrongen lijken. Hetzelfde herhaalt zich op de eerste etage, maar daar wordt de grote hal dankzij de raamopeningen van licht doorstroomd. De enorme, van bruine, ongelazuurde (dus ruwe) baksteen gemetselde gewelfbogen krijgen daardoor een bijna ornamenteel aanzien, ondanks de ongepleisterde bakstenen die Gaudí in zijn eerlijke, zo weinig mogelijk verhullende architectuur prefereerde.

De bovenste etages daarentegen stralen een verbazend lichte sfeer uit, wat men niet zou verwachten wanneer men het gebouw van buiten ziet. Gaudí verkreeg deze werking door het grote aantal ramen, maar vooral ook door een element dat hij tot nu toe zelden gebruikte: hij liet de muren met gips bepleisteren. Bellesguard verwijst daarmee naar toekomstige bouwwerken, waarin het licht een steeds grotere rol zou gaan spelen. De pleisterlaag heeft nog een andere functie: de strenge structuuur van de ruimte wordt daardoor afgezwakt; de muren worden 'zacht', en de hoeken

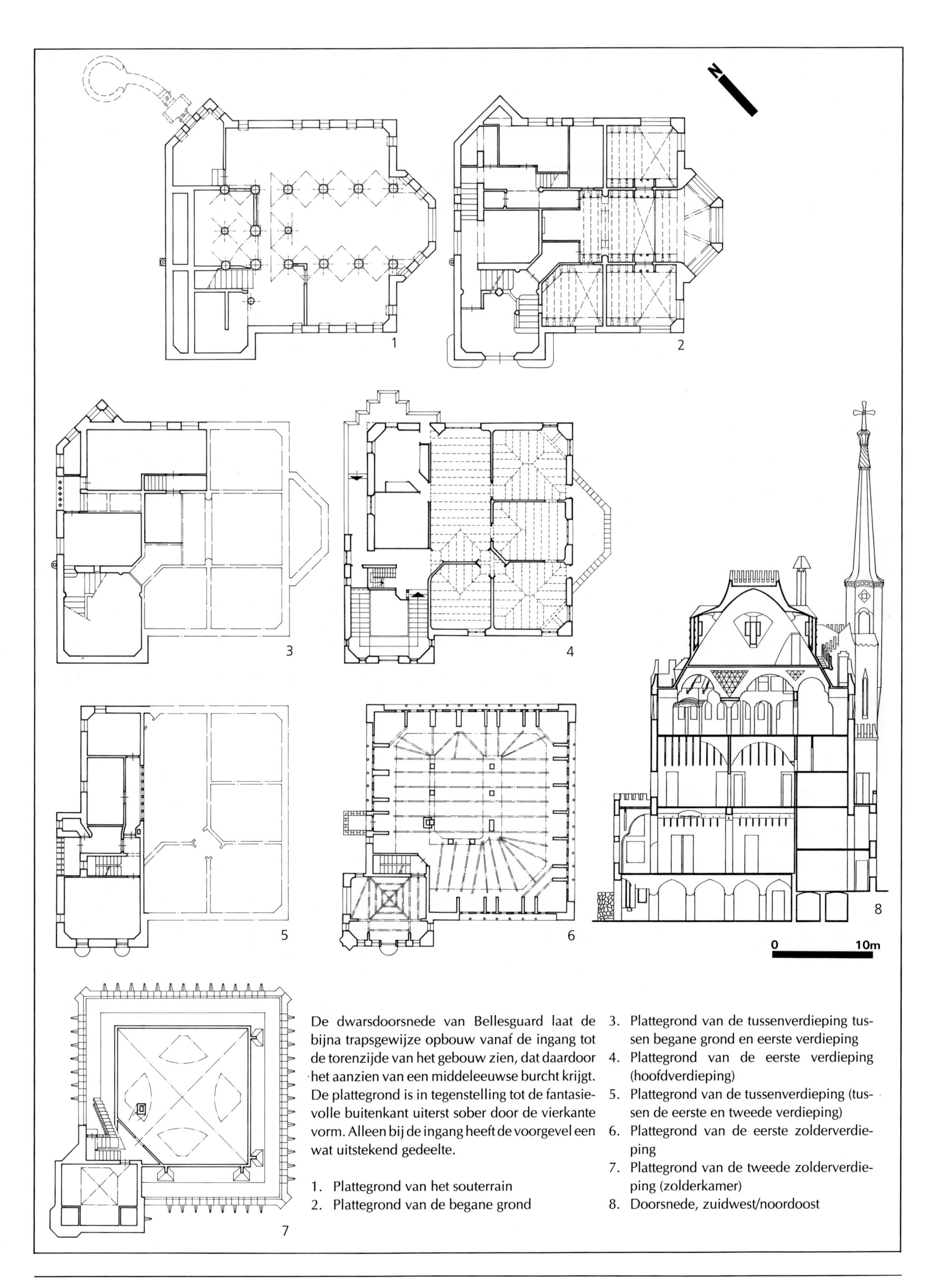

De dwarsdoorsnede van Bellesguard laat de bijna trapsgewijze opbouw vanaf de ingang tot de torenzijde van het gebouw zien, dat daardoor het aanzien van een middeleeuwse burcht krijgt. De plattegrond is in tegenstelling tot de fantasievolle buitenkant uiterst sober door de vierkante vorm. Alleen bij de ingang heeft de voorgevel een wat uitstekend gedeelte.

1. Plattegrond van het souterrain
2. Plattegrond van de begane grond
3. Plattegrond van de tussenverdieping tussen begane grond en eerste verdieping
4. Plattegrond van de eerste verdieping (hoofdverdieping)
5. Plattegrond van de tussenverdieping (tussen de eerste en tweede verdieping)
6. Plattegrond van de eerste zolderverdieping
7. Plattegrond van de tweede zolderverdieping (zolderkamer)
8. Doorsnede, zuidwest/noordoost

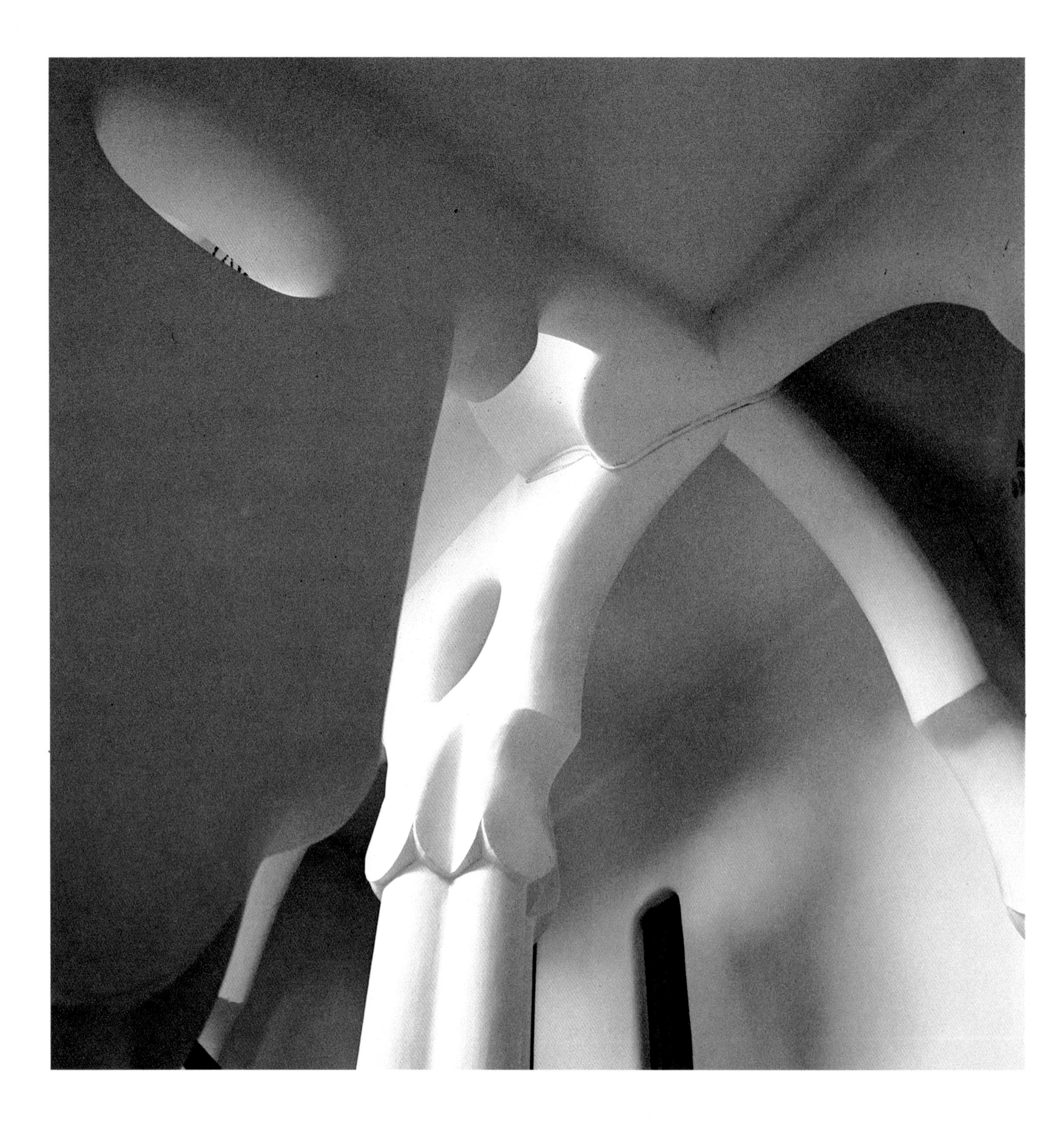

Bovenste gedeelte van een zuil met ventilatie-opening. De glad gepleisterde kapitelen en het glad gepleisterde plafond trekken het natuurlijke licht aan en verdelen het in de ruimte.

minder hard. De golfstructuur van het Casa Milà is hier al duidelijk aanwezig. Zo wordt het stilistisch zo eenvoudige gebouw een complex van tegenstellingen, wat al bij de vergelijking van de plattegrond met het frontaanzicht in het oog valt. De plattegrond is bijna vierkant; slechts de toreningang staat wat hoger. De toren (die trouwens opnieuw het Catalaanse wapen aanduidt) verheft zich boven de ingang. Het frontaanzicht ziet er heel anders uit. Het gebouw lijkt zich trapsgewijze omhoog te werken. Men kan een drievoudige stijging tot de toren die het geheel bekroont, herkennen. Daardoor krijgt het kasteel een zekere elegantie.

Afgezien van de benedenetages en de buitengewoon moeilijke maar typisch Gaudiaansc bogen op de eerste zolderetage, lijkt deze van buiten

De naar buiten toe uitstekende achthoekige ster in het midden van het raam moet Venus, de godin van de liefde, symboliseren.

zo trotse burcht van binnen veel meer op een elegante Jugendstilvilla. De witgepleisterde, licht golfachtige muren en zuilen, die zich dikwijls merkwaardig vertakken en in andere ruimtes en etages naar binnen lijken te gaan, schijnen het licht praktisch aan te trekken, te versterken en het uiteindelijk verder te leiden; er ontstaat een ornamenteel spel van licht en schaduw. Onze blik blijft nergens hangen en wordt voortdurend verder geleid. De structuur komt daardoor op de tweede plaats. De witgepleisterde bovenetages lijken één ruimte met talrijke uitstulpingen en verborgen hoekjes. Maar ook hier weer probeert Gaudí stijlzuiverheid te vermijden, ook al is het zijn eigen stijl. Bij de wat dunnere muren gebruikt hij ijzeren staven als steunelement. En eerlijk als hij is, worden deze niet verhuld,

hoewel dat gemakkelijk zou zijn geweest. Op die manier zijn echter ook in de harmonieuze ruimtes steeds weer nieuwe verrassingen, 'struikelblokken' verborgen, zoals de elegante, gekleurde glas-in-lood-ramen, waarmee Gaudí op speelse manier naar kerkramen verwijst. Hij integreert ze echter in wat grotere Jugendstilachtige venstercomplexen en brengt in de motieven symbolische toespelingen aan op Venus - godin van de liefde. Deze schijnbaar uit een andere wereld stammende Jugendstilramen combineert hij weer met betegelde muren in de typische stijl van deze regio. Een hoekje verder vinden we nuchtere, door donker hout omlijste, naar boven toe spits oplopende 'gotische' ramen - een verbluffend contrast en opnieuw het bewijs dat Gaudí een vrijmoedig spel speelt met historische stijlelementen, waardoor een ware collage van de meest heterogene vormelementen onstaat. Deze versmelten - zoals later bij de surrealisten - tot een nieuwe eenheid, die zelf tot een nieuwe stijlrichting zal uitgroeien.

Boven: de kantelen die als een band rondom het dak getrokken zijn, herinneren aan een middeleeuws kasteel.

Zo werkt ook het merkwaardige piramidevormige dak, hoe robuust het ook is geconstrueerd, niet als stijlbreuk. Wanneer men zich na de vederlicht werkende vertrekken op het dak begeeft, beleeft men daar de speelse bekroning van het gebouw. Door de toepassing van allerlei grappige, spitse erkertjes en vooral door het 'mozaïek' van het dakoppervlak heeft Gaudí elke indruk van logheid, die eigenlijk inherent is aan dit gebouw, weten te vermijden. Het dakmozaïek bestaat weliswaar geheel uit natuursteen, maar de werking ervan is door het gebruik van de meest gevarieerde steenvormen uitermate levendig en verrassend. Bovendien is het dak wat kleur betreft in volmaakte harmonie met het omringende landschap. Alleen de kanteeltjes van de dakomloop herinneren nog aan de tijden, die Gaudí met zijn 'mooi uitzicht' voor ogen stonden: de Middeleeuwen, waarin in het jaar 1409 koning Martí I in Bellesguard met Margarida de Prades in het huwelijk trad. En het is geen toeval dat de trotse Catalaan Gaudí de bouw precies 500 jaar na deze gebeurtenis beëindigde. Geheel voltooid was Bellesguard toen nog niet, waardoor het in de grote categorie van door Gaudí onvoltooide bouwwerken valt. Pas in 1917 legde Domènec Sugranes de laatste hand aan het geheel.

Bladzijde 136: binnenaanzicht van de eerste zolderverdieping (tweede bovenverdieping). Daarbovenop bevindt zich nog een andere zolderruimte.

Park Güell

1900 - 1914

Dichte pijnbossen, grandioze lanen met palmen - nu is het terrein ten noordwesten van Barcelona inderdaad dat wat de naam aangeeft: een park. Op het door bomen omzoomde grote plein ontmoeten gepensioneerden elkaar voor een praatje en jonge paartjes voor een rendez-vous. De grote bonte bank die als een reuzenslang door het park kronkelt biedt daartoe alle gelegenheid. Toen Gaudí met de bouw begon, was er van een park nog geen sprake. Er was nog geen water, het terrein was kaal, de hellingen zonder vegetatie. Het is aan Gaudí te danken, dat er nu bomen en struiken kunnen groeien. Maar oorspronkelijk moest hier niet slechts een recreatiepark voor de bevolking ontstaan. Eusebi Güell, een groot bewonderaar en begunstiger van Gaudí, was meer van plan: hij dacht aan een wijk die in alle opzichten voorbeeldig moest zijn, een woonparadijs, een tuinstad. Het bleef bij een park - een park voor heel Barcelona.

Bladzijde 139: hoofdtrap van het Park Güell, die zich in twee aparte trappen vertakt.

Rechts: mozaïekmedaillon met de naam van het park.

De naam van het monumentale complex, dat deel uitmaakt van het stadslandschap van Barcelona en dat ook in Gaudí-biografieën als Park Güell wordt betiteld, is in wezen een understatement. Dat neemt niet weg dat het terrein heden ten dage inderdaad dienst doet als openbaar park - het op een na grootste park van Barcelona -, wat ook de oorspronkelijke opzet was van Gaudí's vriend en beschermheer, Eusebi Güell. De inspiratie daartoe deed hij op tijdens zijn buitenlandse reizen , waarbij zijn

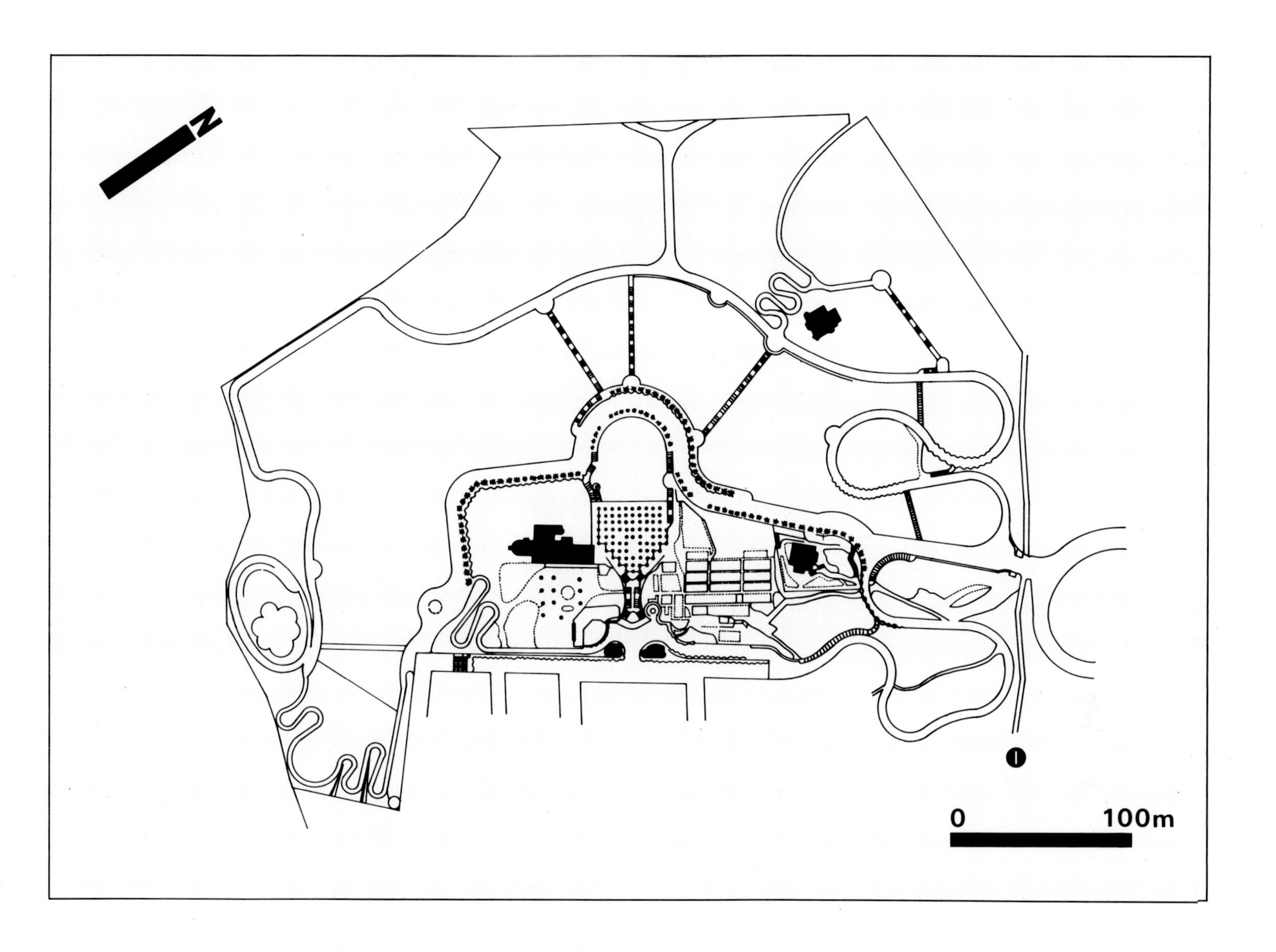

Plattegrond van het park met de geplande woonpercelen.

voorkeur uitging naar de Engelse landschapstuinen, die bedoeld waren als tegenwicht voor de steeds toenemende industrialisatie van de grote steden. Een andere inspiratiebron bood ongetwijfeld de romantische tuinarchitectuur, waarin een bewuste vormgeving gecombineerd werd met natuurlijke, 'wilde' vegetatie.

Men kan dit grootscheepse project als voortzetting van Gaudí's sociale engagement zien, dat hem er eerder toe had bewogen mee te werken aan het project voor de arbeiderswijk Mataró. Ook Güell hield zich intensief bezig met sociale hervormingen, die in die tijd in Engeland hun bloeitijd hadden. (Het was de tijd van Karl Marx, die toen in London zijn theorieën publiceerde.) Een privépark lag dan ook niet in Güells bedoeling, dit ondanks de van het begin af aan geplande muur, die het park moest omsluiten. De muur was bedoeld om de bewoners van het gebied een gevoel van veiligheid te geven, want het park lag toentertijd ver van de stad Barcelona. Daarin is verandering gekomen. Het park was uitdrukkelijk bedoeld als woongebied voor de goed gesitueerde burger en moest in geen geval een recreatiepark voor dagjesmensen worden. Er waren 60 driehoekige percelen voor gepland. Ze moesten op een brede, steile helling liggen, zodat het uitzicht op de stad niet door nieuwbouw kon verdwijnen. Alle bouwplaatsen moesten op zonnige plekken liggen.

Daar kwam echter niet veel van terecht. Slechts twee percelen werden

Gaudí plande het grote plein als plaats voor feesten, ontmoetingen en toneelvoorstellingen.

verkocht. De stad zelf was in dit grootse project niet geïnteresseerd. In een van de twee huizen nam Gaudí zelf zijn intrek, maar niet om in een deftig huis te willen wonen. In dit opzicht stelde hij geen eisen en werd, hoe meer hij zich in zijn werk verdiepte, steeds bescheidener. Op oudere leeftijd verhuisde hij zelfs naar de bouwkeet van de Sagrada Familia - een bijna symbolische stap, hoewel praktische overwegingen de doorslag gaven. Daarvoor woonde hij in het Park Güell en werd hij in zekere zin de buurman van zijn grote vriend Güell, wiens familieresidentie al op het parkterrein stond en waarin tegenwoordig een school is ondergebracht. Gaudí trok in dit huis, omdat zijn drieënnegentigjarige vader geen trappen meer kon lopen. De architect leidde op dat moment al het leven van de eeuwige vrijgezel en zorgde enkel voor zijn vader en de dochter van zijn zuster, die vroeg overleed. De vader van het meisje was een alcoholist en zelf niet in staat zijn dochter een goede opvoeding en schoolopleiding te garanderen. Bij al zijn goedhartigheid kon Gaudí soms ook een lastige tijdgenoot zijn: liefdespaartjes werden in zijn park niet geduld.

Het is jammer dat dit grootscheepse project nooit werd gerealiseerd. Barcelona was anders een woonkolonie rijk geweest, die ook heden niets aan actualiteit had ingeboet. Gaudí slaagde erin een perfecte synthese te ontwerpen tussen woon- en recreatiegebied. Als centrum ontwierp hij een soort 'marktplein', dat dienst moest doen als communicatiecentrum van de bewoners en tevens als cultureel centrum waar toneel en folkloristische voorstellingen konden plaatsvinden.

Het 'sociale programma' - voornamelijk Güells idee - mislukte, maar

Twee paviljoens bij de ingang (links). Het kantoorhuis aan de linkerkant van de ingang (rechts).

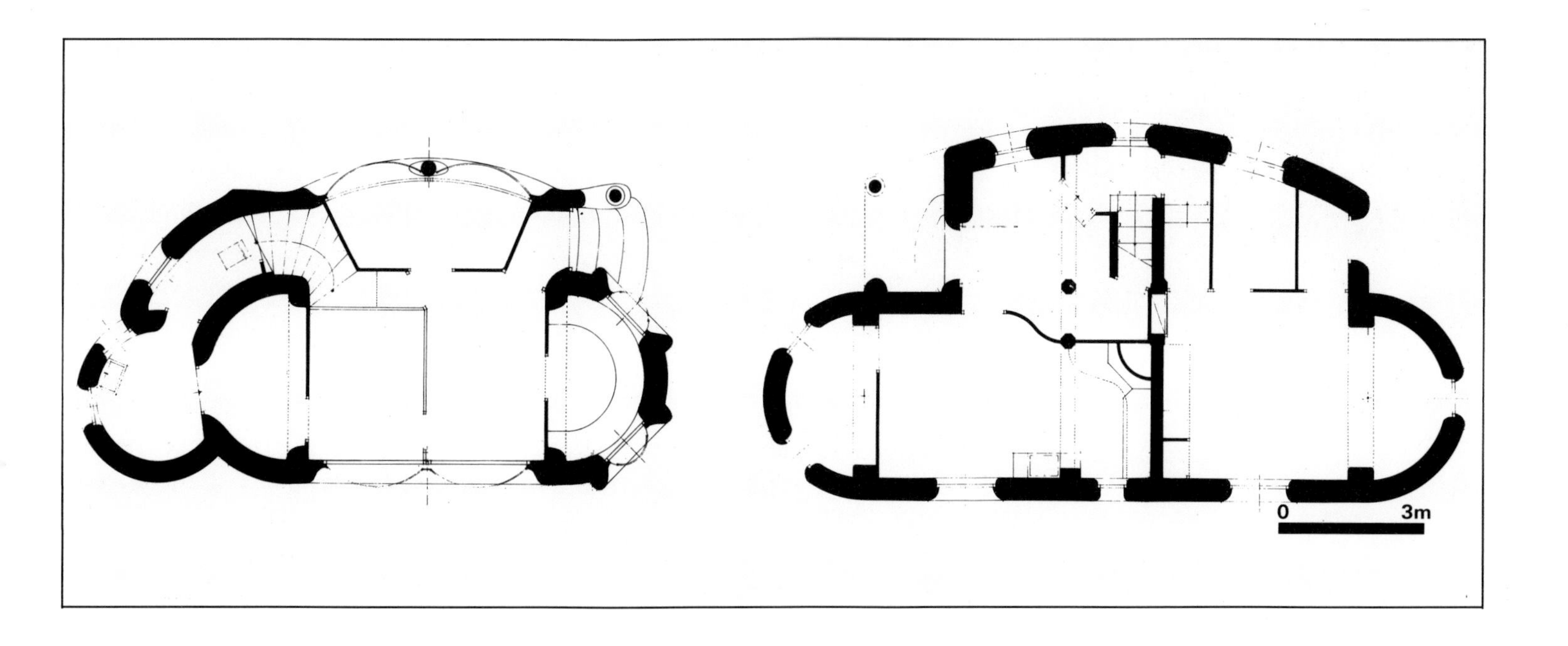

Plattegronden van het portiershuis en het kantoortje laten zien dat de gebouwen in de muur van het park 'ingebouwd' zijn.

een ander deel van zijn onderneming, waar Gaudí de verantwoordelijkheid voor had, slaagde. Het oorspronkelijke, als woongebied geplande terrein bleef - afgezien van de twee huizen - een onbebouwd, vrijwel ongerept landschap. Uit het door Gaudí geschapen recreatieterrein daarentegen is een kunstwerk ontstaan, een soort reuzensculptuur, alsof een beeldhouwer zich een hele berg als materiaal had toegeëigend. En wat voor een beeldhouwer! Een man met een feilloos gevoel voor vorm en kleur, een beeldhouwer en tegelijkertijd ook kunstschilder. Alleen bij het Casa Milà zou de gave van Gaudí om sculpturen in reusachtige dimensies te scheppen nog duidelijker naar voren treden.

Net als bij vele van Gaudí's werken bestaat het park uit de meest heterogene elementen, die elkaar eigenlijk uitsluiten. Zo ziet men alom bonte, felle kleuren die normaal gesproken in het hele landschap uit de toon vallen, en toch passen ze harmonieus in dat beeld en verrijken het. Hetzelfde geldt voor de eindeloos lange muur die het hele park - dat toch uit ca 20 hectare bestaat - omsluit: het lijkt een vreemd lichaam, maar toch past de muur in het landschap en accentueert het zelfs.

Hier volgde Gaudí de principes van de Engelse landschapsarchitectuur. Tevens kwam hij daarmee tegemoet aan de voorstellen van zijn opdrachtgever Güell. Dit neemt niet weg dat zijn schepping op wezenlijke punten van het Engelse voorbeeld verschilt. Net als bij zijn vroege, Moors aandoende gebouwen gebruikt Gaudí slechts een beperkt aantal elementen, zet ze in verbinding met zijn eigen vormen en schept daarmee iets geheel nieuws. Op dezelfde manier verwerkte hij ook de neogotiek en de Jugendstil.

Als terrein voor het park kocht Güell de 'Muntanya Pelada', die zich ten noordwesten van de stad uitstrekt. Het gebied was volkomen kaal - op het eerste gezicht eigenlijk een ideaal uitgangspunt, zou men denken. Maar het ontbreken van water en de rotsachtige bodem maakten het terrein in wezen ongeschikt voor bebouwing en zeker voor een park, waarmee men vooral een groene beplanting associeert. Met grote inventiviteit wist de practicus Gaudí een oplossing voor dit probleem te vinden. Het sterk hellende terrein was niet gemakkelijk te bebouwen, het heuvelachtige landschap daarentegen was voor de gegolfde muur weer ideaal. Gaudí

Bladzijde 145: dakpartij van het portiershuisje, het torenvormige uitsteeksel wordt door een 'vliegenzwam' gekroond.

Bladzijde 146: de door palmbomen omzoomde laan leidt naar de achterste poort van het park. De kogels scheiden het voetpad van de straat.

paste de vorm van de muur aan de natuurlijke omgeving aan. Bij in het oog springende delen werkte hij met sterke kleuraccenten: vooral bij de zeven ingangspoorten en in het bijzonder bij de hoofdingang. Het onderste gedeelte van de Calle Olot - ca twee derde van de hoogte - bestaat uit okerkleurige, gemetselde natuursteen. De muur verdikt zich naar boven toe en krijgt een mozaïeklaag van bruine en witte tegeltjes. Dat heeft verschillende voordelen. Ten eerste is deze muurbedekking decoratief en laat de muur in het zonlicht glanzen. Er waren echter ook praktische voordelen. Het op zich minderwaardige materiaal van de muren zou zonder beschermend laagje aan erosie blootgesteld zijn, maar de keramieklaag werkt waterafstotend. Tevens versterkte hij daarmee de beschermende functie van de muur: de gladde keramieklaag biedt geen houvast voor de handen van eventuele indringers. Zonder hulpmiddelen kan men niet op de muur klimmen. Het park is een unieke synthese van functionaliteit en esthetische vormgeving. Duidelijker dan bij alle andere bouwwerken van Gaudí blijkt hier zijn dubbele begaafdheid.

De hoofdingang is puur esthetisch qua vormgeving. Hij wordt geflankeerd door twee paviljoens, die uit een sprookjesbos schijnen te zijn weggelopen. De grillige muren lijken zich van hun functie als huismuur nauwelijks bewust en het dak is onregelmatig gegolfd. Maar opnieuw is deze eerste indruk, zoals zo dikwijls, bedrieglijk, want paviljoens en muren vormen wel degelijk een eenheid. De plattegrond van de paviljoens is ovaal en de muren ervan lijken uitgroeisels van de parkmuur, of anders geformuleerd, de grote parkmuur heeft als het ware deze paviljoens ingelijfd. Net als de bovengenoemde muur zijn ook de huisjes van

Onder: dakpartij van het kantoorhuisje (links). Portiershuisje aan de rechterkant van de ingang (rechts).

Bladzijde 147: een aangstaanjagende draak, met 'schubben' van bonte tegeltjes, bewaakt het park. Hij moet Python, de bewaker van de onderaardse wateren voorstellen.

Bladzijde 149: zuilenhal. Het dak van de hal, dat gelijktijdig dienst doet als vloer voor het Griekse theater, wordt door Dorische zuilen gedragen.

okerkleurige natuursteen, en de daken met hun gekleurde tegels hebben een soortgelijke bonte structuur als de parkmuur. Alleen de tien meter hoge toren op een van de paviljoens vormt een contrast met de omgeving: deze heeft, net als de toren van El Capricho geen functie. De torenkoepel bestaat uit een schaakbordachtig patroon van blauwe en witte tegeltjes; opnieuw een schijnbare breuk met de harmonie van het landschap. Maar Gaudí herhaalt hier de kleuren zoals die zich aan de bezoeker, die het park via de toegangsweg binnentreedt, voordoen: het blauw van de hemel en het wit van de voorbijtrekkende wolken. Net als in de muur zijn er in de paviljoens kleine medaillons met de naam van het park verwerkt: een spel met ornamenten, die te zamen toch een zinvolle functie hebben.

Deze entree bevat reeds alle bouwprincipes waarmee de bezoeker overal in het park wordt geconfronteerd: verbluffende, betoverende effecten, die toch de harmonie van het geheel niet verstoren; de suggestie van kostbare, glanzende materialen - en toch een constructie van het goedkoopste bouwmateriaal dat men zich kan denken, want het terrein zelf was de voornaamste leverancier. En wat voor een!

Voor bestrating en wegen was het terrein te steil. In plaats van delen van de berg te effenen, maakte Gaudí zijn architectuur geheel ondergeschikt aan het landschap. Zo maakte hij het terrein begaanbaar door middel van viaducten en uitgegraven wegen en gangen. Het op die manier verkregen puin vormde de bouwstenen voor de rest van het park. De stralende keramieklagen ontstonden door middel van een collage, de zogenaamde

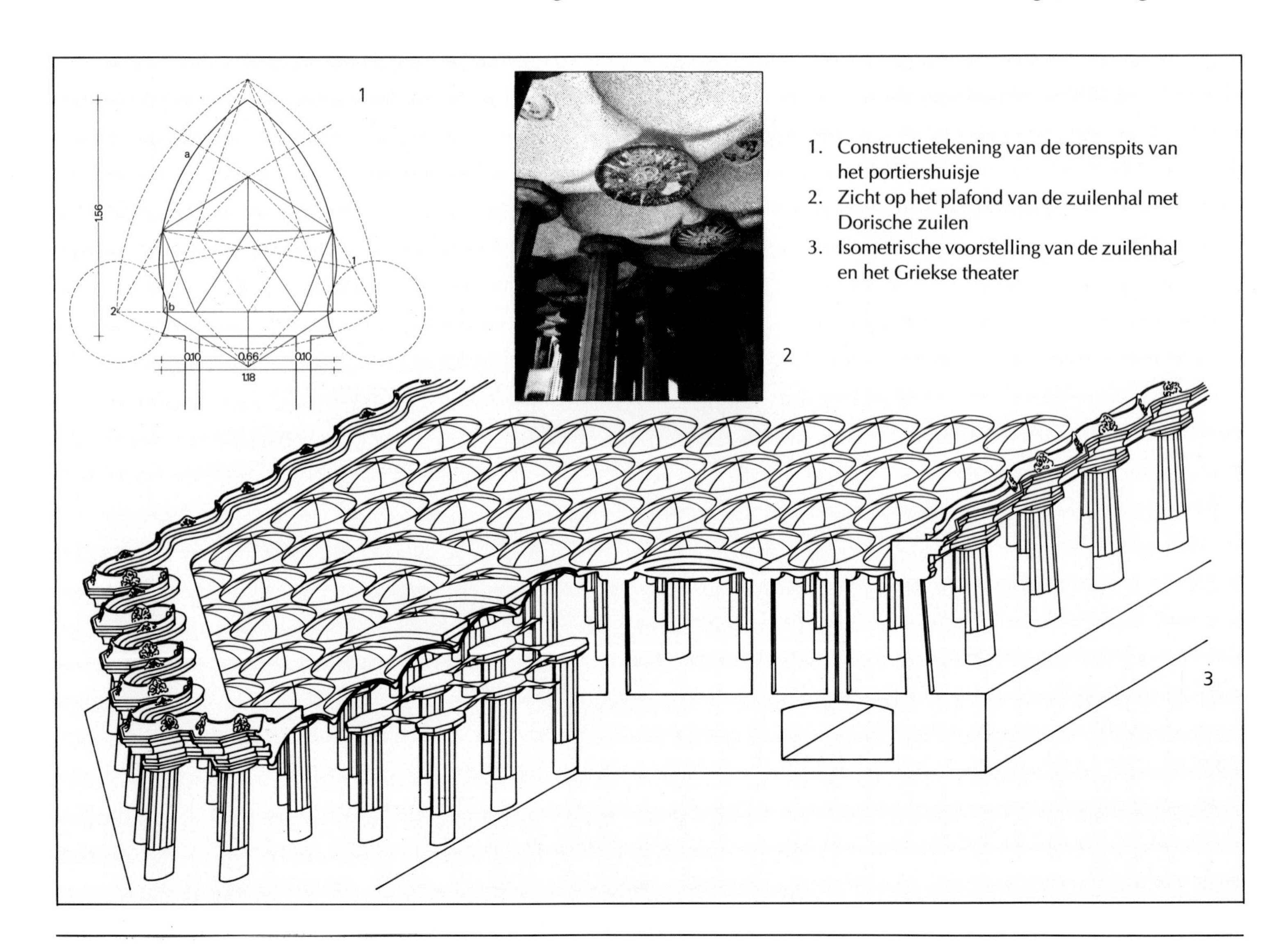

1. Constructietekening van de torenspits van het portiershuisje
2. Zicht op het plafond van de zuilenhal met Dorische zuilen
3. Isometrische voorstelling van de zuilenhal en het Griekse theater

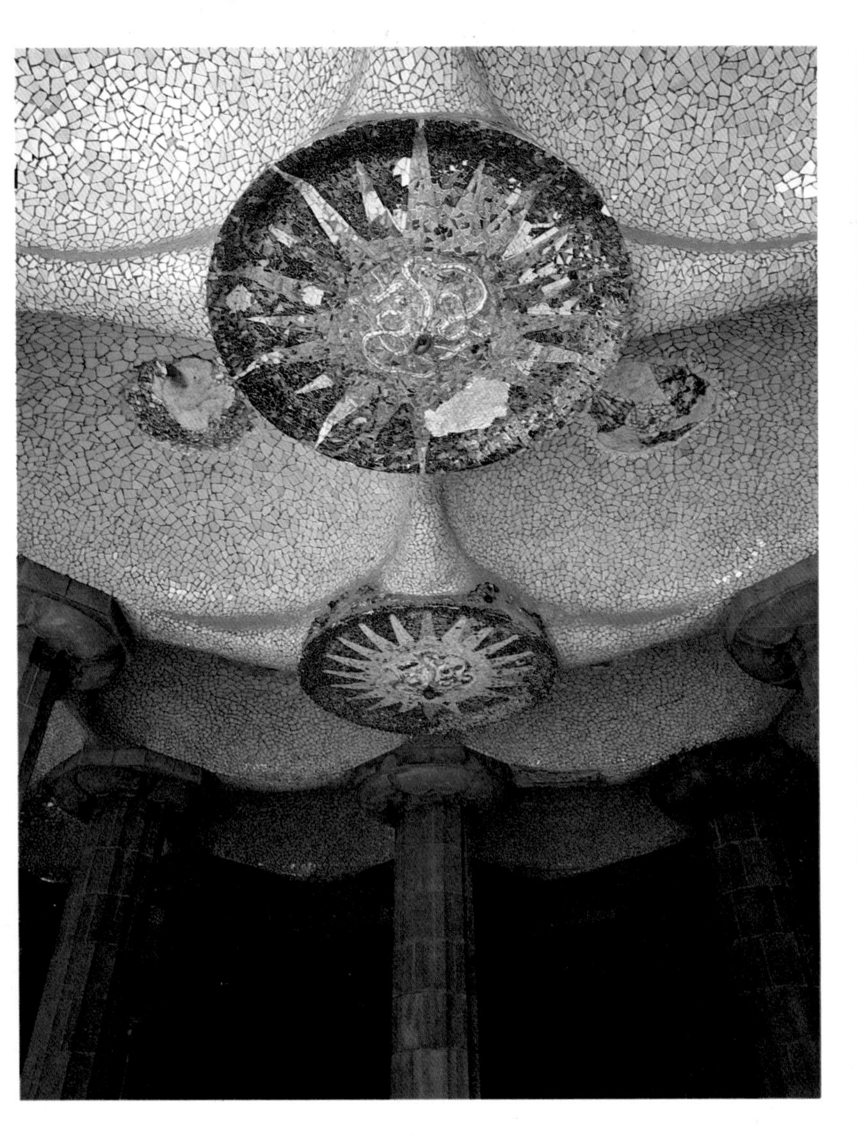

Mozaïekmedaillons van Josep M. Jujol sieren het plafond van de zuilenhal.

'trencadis': dit waren afvalprodukten van goede keramiekbedrijven: misbaksels, scherven in alle vormen en maten, die hij in de nog natte specie liet drukken. Daarmee was hij een voorloper van stromingen die pas in de twintiger jaren tot bloei zouden komen, zoals de collagetechnieken van de dadaïsten. Zonder zijn medewerker Josep Maria Jujol, een specialist op het gebied van dergelijke keramiekvoorstellingen, zou het resultaat vermoedelijk niet zo uitbundig en schitterend zijn uitgevallen. Architectuur bestaat bij de gratie van samenwerking en juist Gaudí was daarvan een groot voorvechter. Zijn werk, aldus een van zijn uitspraken, was de vrucht van gemeenschappelijke arbeid, iets wat enkel en alleen op basis van wederzijdse liefde mogelijk was. Door zijn permanente aanwezigheid op het bouwterrein van de Sagrada Familia bracht hij deze theorie in praktijk.

Gaudí was nooit een man van alleen maar theorie. Het was zijn overtuiging dat de architect niet tot taak heeft grootscheepse projecten te ontwerpen, maar de verwezenlijking daarvan mogelijk moet maken. Daarmee sluit hij aan bij een der grote tradities die in de 19de eeuw in zwang waren gekomen. In de laatste decennia van deze eeuw verbreidde zich met name in Engeland een veelomvattend pragmatisme, waarvan William Morris de populairste vertegenwoordiger was. Morris, die eigenlijk meubelfabrikant was, beschouwde zich ook als kunstenaar. Sociaal geëngageerd als hij was, probeerde hij steeds weer artistiek waardevolle meubels zo te maken, dat ook de doorsneeburger, ja zelfs de onbemiddelde arbeider ze kon

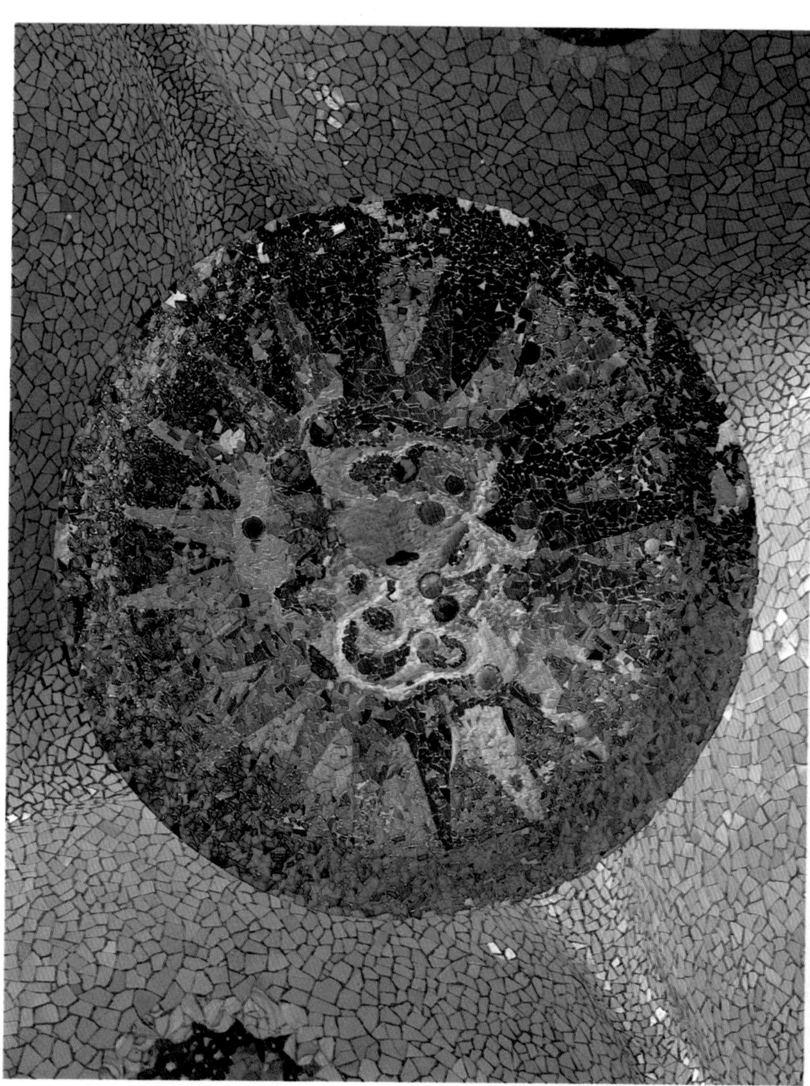

aanschaffen. De kunst moest tot waardevermeerdering van het dagelijkse leven bijdragen. Morris zou zich in de aan het Park Güell ten grondslag liggende ideeën geheel hebben kunnen vinden. Gaudí begon dus zijn loopbaan in een tijd, waarin men ernaar streefde de oude scheiding tussen kunst en kunstnijverheid - en zodoende ook de scheiding tussen kunst en leven - ongedaan te maken. Het Park Güell is het concrete bewijs van de juistheid en haalbaarheid van deze droom. Het feit dat de stad hiervoor weinig geestdrift kon opbrengen, bewijst echter ook dat de tijd nog niet rijp was om deze progressieve ideeën op hun waarde te schatten. (Helaas wordt bij de huidige massaproduktie de kloof tussen kunst en handwerk weer steeds breder.)

Dat banale, armzalige middelen een grote esthetische zeggingskracht kunnen krijgen, wist Gaudí lang voordat kubisten, zoals zijn landgenoten Picasso en Miró, daarmee over de hele wereld successen oogstten. Het gebruik van minderwaardig en dus ook minder duurzaam materiaal bracht echter ook specifieke problemen met zich mee. Zo moest hij zijn bouwwerken uit complex opgebouwde lagen construeren om ze weer- en tijdbestendig te maken. Desalniettemin lijken ze 'uit één stuk' gevormd te zijn. Het torentje bijvoorbeeld, is van binnen hol. De muren zijn gebouwd van een 4 centimeter dikke laag baksteen en een laag beton, die met 1 centimeter dikke ijzeren staven is versterkt. Gaudí gebruikte dit materiaal voor het eerst. Daaroverheen bevindt zich een laag dakpannen en uiteindelijk een buitenlaag van cement met daarop het mozaïek van de ingelegde keramiektegeltjes. Het hele park is op dezelfde geniale wijze geconstrueerd. Pas toen de stad Barcelona, sinds 1922 eigenares van het park, renovatiewerkzaamheden verrichtte, werd deze onzichtbare constructie zichtbaar. Dit soort werkzaamheden waren overigens verbazingwekkend laat noodzakelijk. Gaudí's bouwwerken onderscheiden zich door een ongelooflijke duurzaamheid, ook al zien ze er nog zo fragiel uit, zoals de fraaie siertorentjes op de daken.

De architectonische vormgeving van het parkgedeelte dat niet als woongebied was gepland en dat daarmee juist de levenskwaliteit van het park vormt, is fascinerend. Wanneer men door de ingang langs de twee paviljoens binnenkomt, staat men voor een monumentale trap, die aan de grote kastelen uit het verleden herinnert. Deze voert in twee brede banen - in het middengedeelte bevindt zich een door een stenen muurtje gescheiden perk met beelhouwwerken - naar boven naar het middelpunt van het hele park. Maar de bezoeker weet beneden nog niet wat hem boven te wachten staat. Er staat nog een soort monster in de weg, in zekere zin de laatste bewaker van het park: een met bonte 'schubben' van tegels versierde draak. Voor de Gaudí-vriend een bekend motief, want een soortgelijk dier is al te zien op het landgoed Güell, waar hij, in een wat speelse Jugendstilversie, de smeedijzeren poort siert. Bij de late Gaudí moet men echter altijd achter de nog zo speelse creaties een diepere, meestal symbolische betekenis zoeken. De draak symboliseert Python, de bewaker van de on-

Gaudí was er een meester in om met goedkope materialen verbluffende, esthetische resultaten te boeken. De prachtige mozaïeken van de parkbank werden samengesteld uit kapotte bonte tegeltjes en glasscherven.

deraardse wateren. Gaudí maakt ons op symbolische wijze attent op iets, wat het oog nog niet kan waarnemen, maar wat toch van een immens grote betekenis is: achter de draak bevindt zich een reservoir met een capaciteit van 12.000 liter, dat als verzamelbekken voor regenwater is bedoeld. Op die manier wordt het regenwater opgevangen en verzameld voor de irrigatie van het kale, waterarme terrein.

Een paar meter verder staan we weer voor een reptiel: een slangekop, die ook weer een symbolische betekenis heeft. Gaudí verwijst daarmee naar het Catalaanse wapen, waarop een slangekop met gele en rode strepen is afgebeeld. Gaudí, als practicus, maakte deze twee reptielen tot overloopventielen voor het waterbekken.

De trap op zich herinnert al aan de vorige eeuw; en wanneer men erop loopt, heeft men zelfs het idee nog veel verder in het verleden terug te zijn. Net als bij een Griekse tempel is de zuilenhal okerkleurig. De vorm van de zuilen is - met kleine variaties - Dorisch. Misschien wilde Gaudí met dit bouwelement zijn opdrachtgever, die van de Oudheid hield, eer betonen. De zuilen zijn geplaatst alsof ze op de kruispunten van een denkbeeldig net staan. Afhankelijk van waar de bezoeker staat, lijken ze of op een ondoordringbaar bos, of op gestructureerde zuilengangen, waar alle zuilen achter de eerste zuil schijnen te verdwijnen. Gaudí zou Gaudí niet zijn, wanneer hij niet zijn spel zou spelen met de dingen die aan de klassieke oudheid doen denken. De buitenste zuilen zijn - geheel in Griekse stijl - schuin naar beneden toe wat breder gevormd, alleen zijn ze

Bladzijde 154-157: fragmenten uit de mozaïeken van de parkbank. Gaudí zelf heeft een gedeelte van deze mozaïekdecoraties gemaakt; verder hebben de bij de bouw van het park betrokken arbeiders in gemeenschappelijke arbeid hun bijdrage geleverd. Uit de verschillende glas- en keramiekstukken ontstonden deels symmetrische, deels onregelmatige fantastische decoraties.

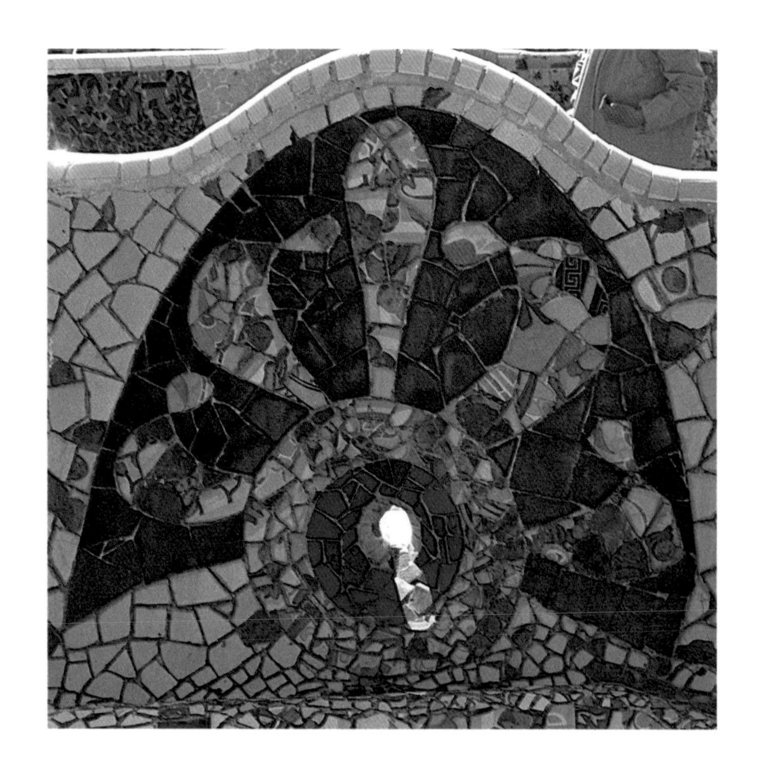

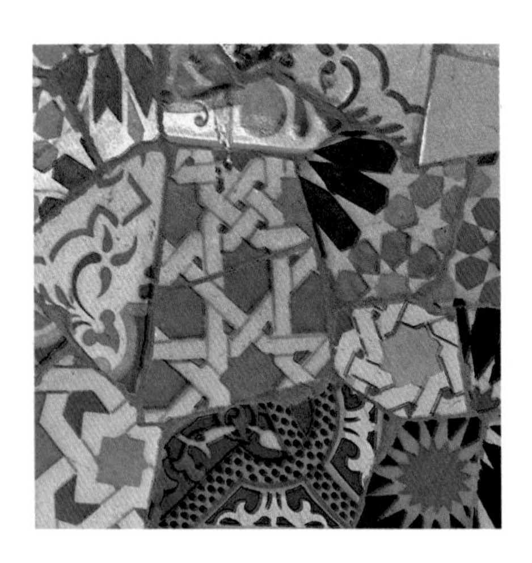

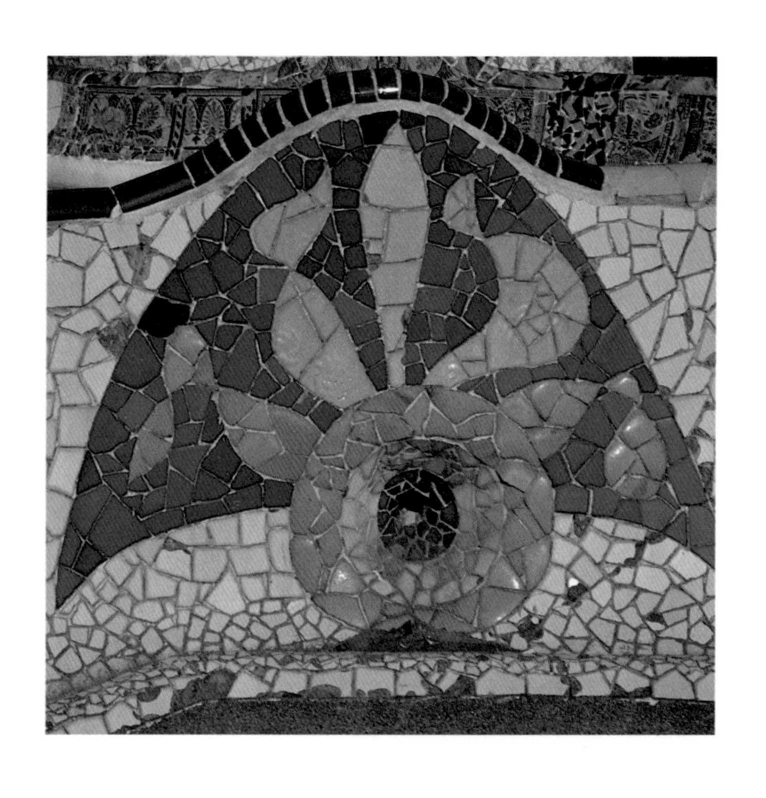

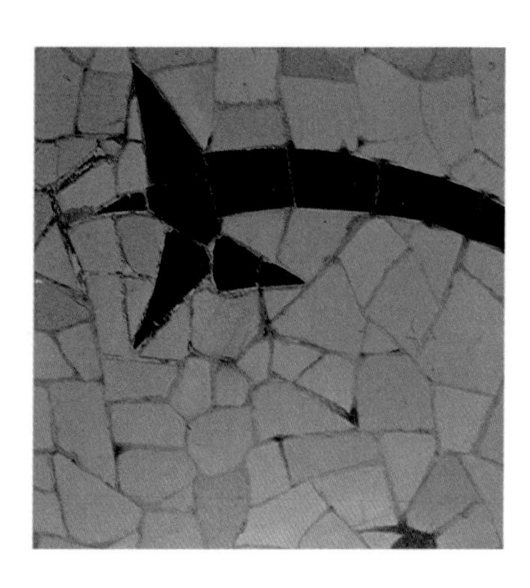
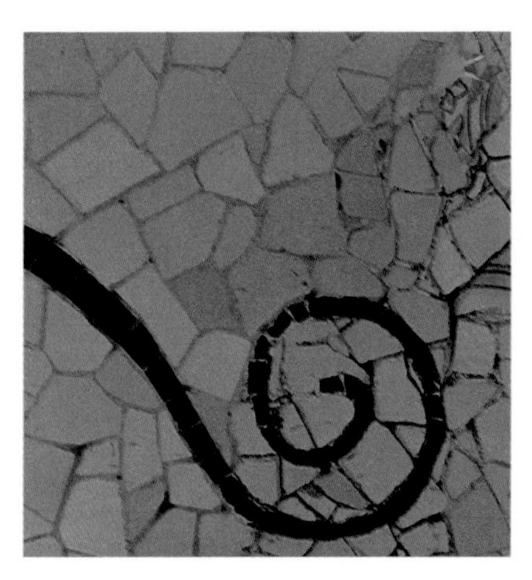
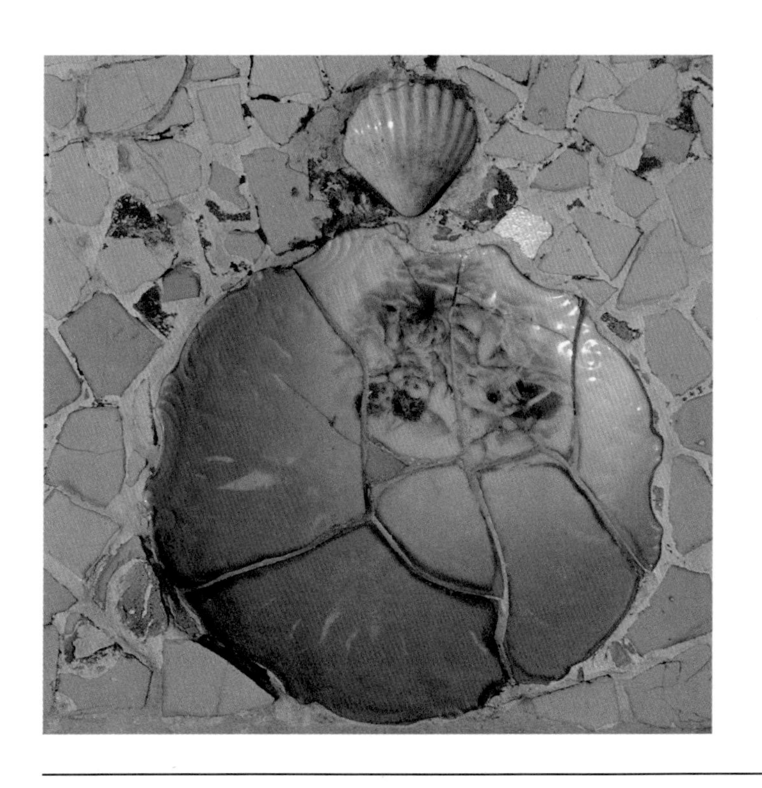

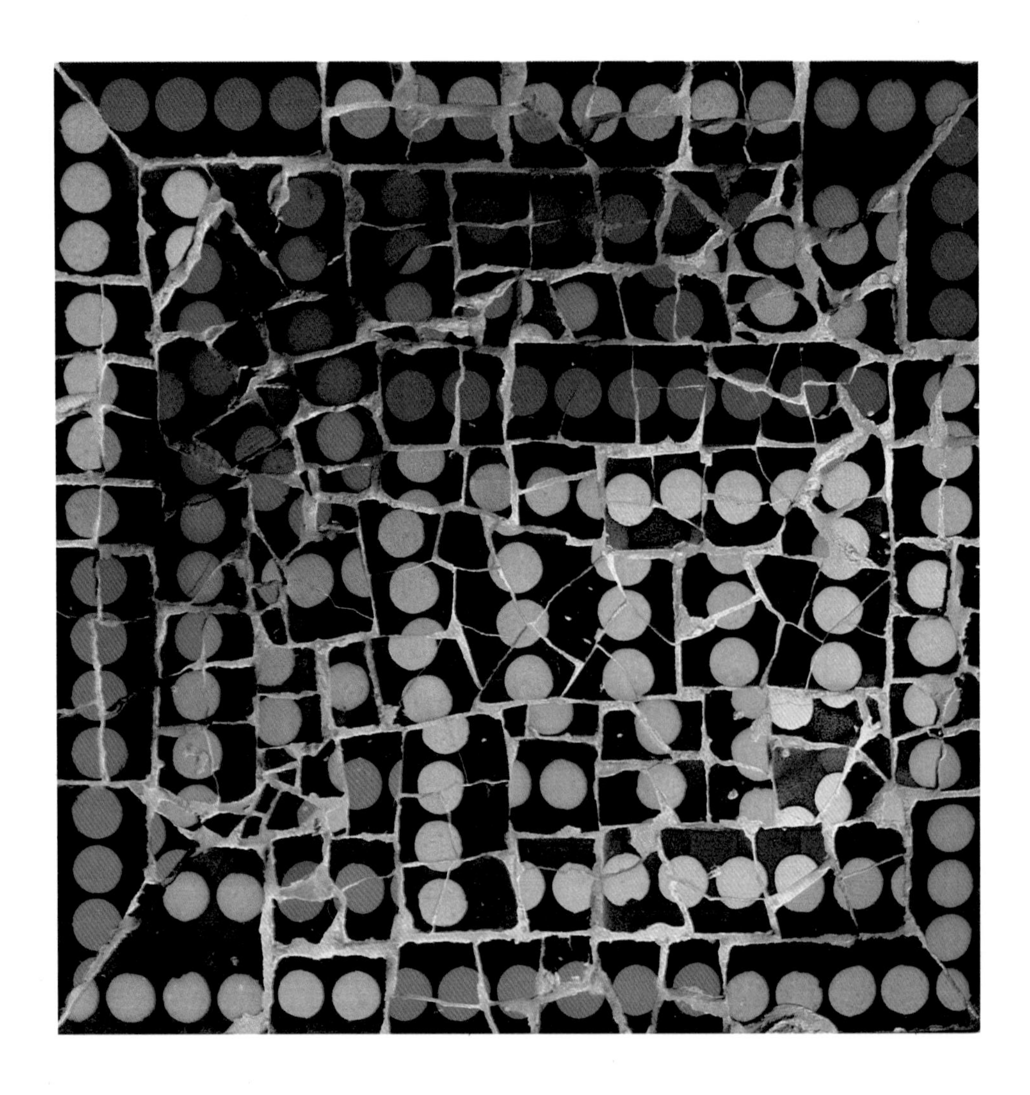

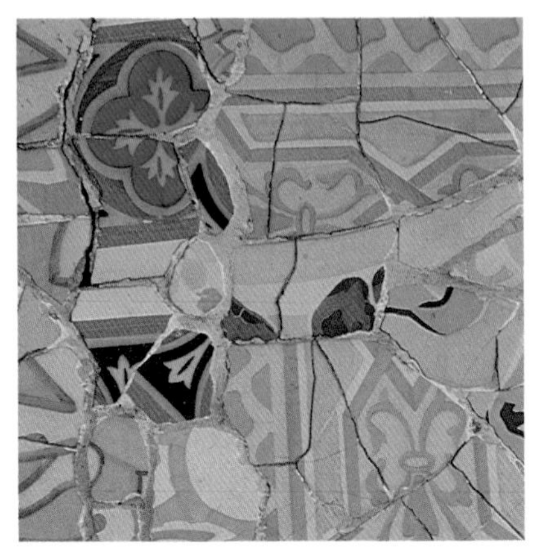

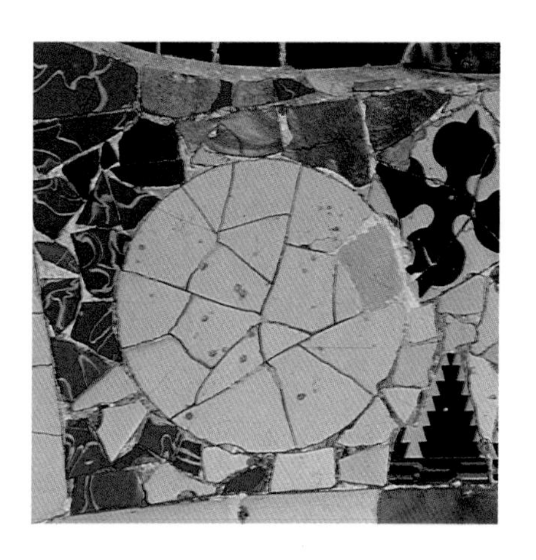
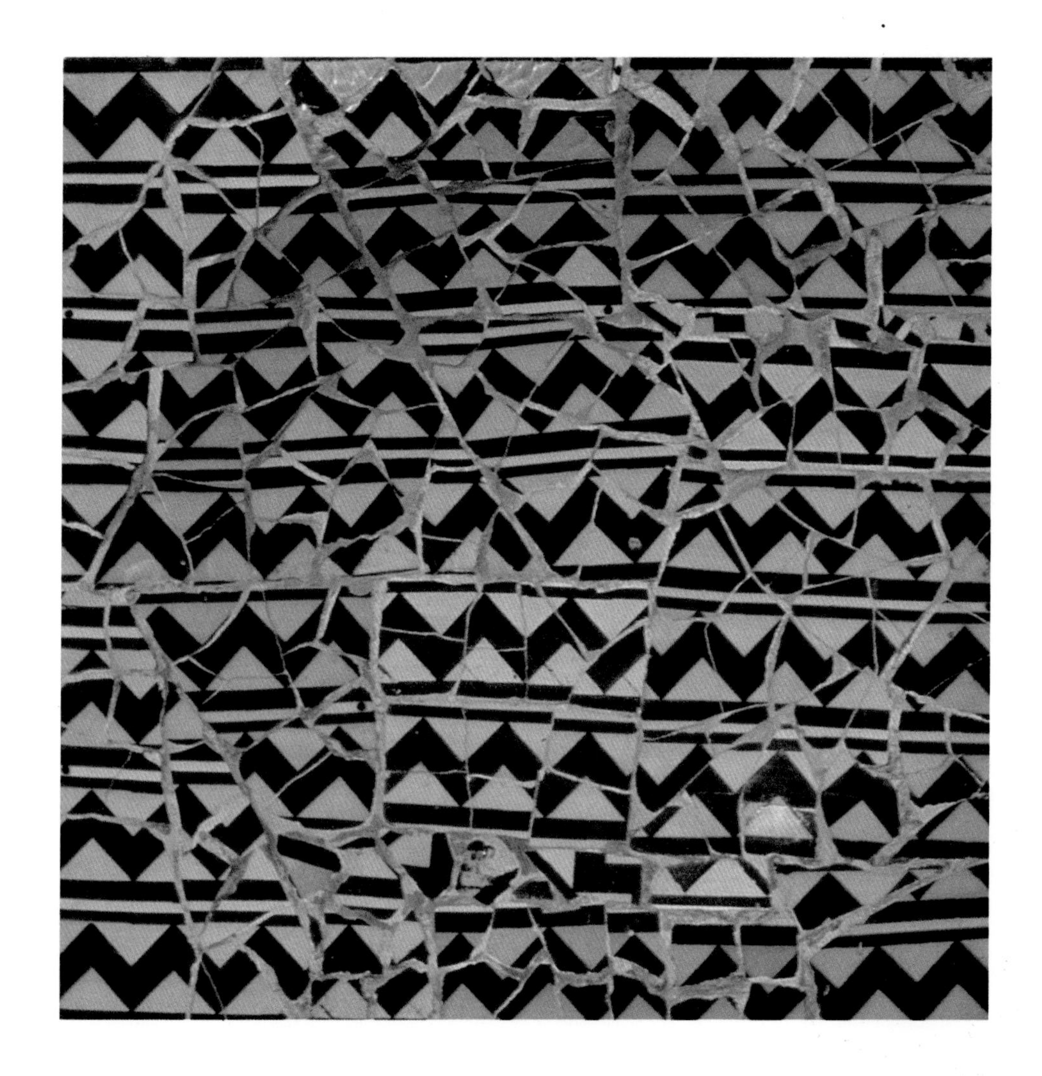

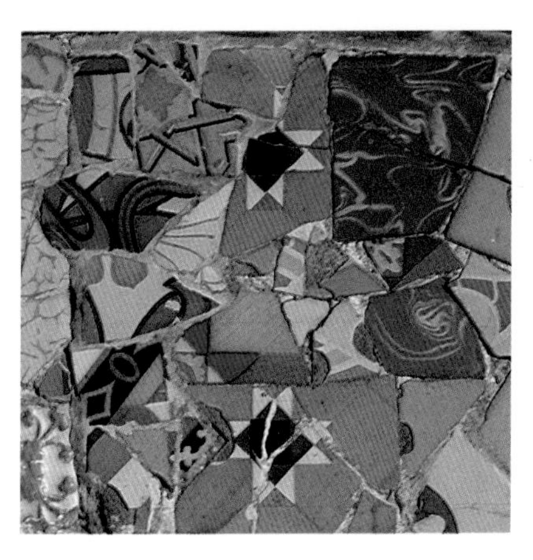
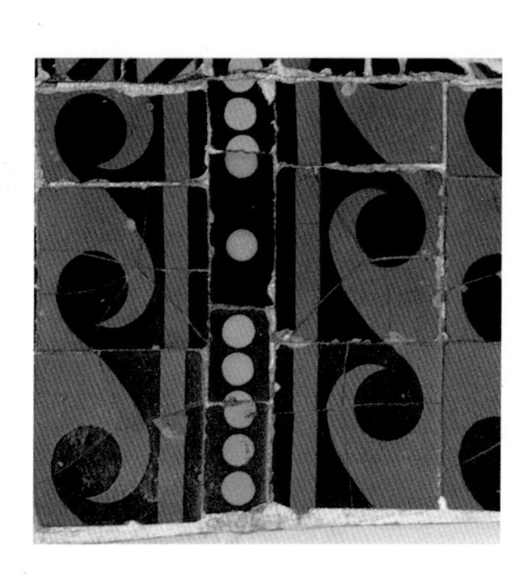

bij Gaudí wat meer aangezet dan bij de originele Dorische zuilen. De overige zuilen in het binnenste gedeelte van de 'hal' hebben overal dezelfde doorsnede. De architectonische elementen van het park hebben altijd meerdere functies. Zoals de twee reptielen tegelijkertijd sieraad, symbool en overloopventielen - dus gebruiksinstrumenten - zijn, zo hebben de zuilen niet alleen maar de functie het dak te dragen en is het dak niet alleen maar dak, maar gelijktijdig ook de bodem voor iets geheel anders. Het lijkt net alsof de dakfunctie slechts secundair is. Het dak is namelijk tegelijk het centrale gedeelte van het hele park. Dit gedeelte had oorspronkelijk het marktplein van de woonwijk en - ook naar het voorbeeld van de klassieke oudheid - tegelijk het theaterplein moeten worden. Men zou zich dus het hele park - in zijn oorspronkelijke planning - ook als een reusachtig amfitheater kunnen voorstellen. Het 'publiek' zat daarbij niet op de rangen die onmiddellijk aan het toneel grenzen. Deze 'rangen' zouden zich veeleer bevinden op het plein tegenover de helling; de 'zitplaatsen' zouden de woonhuizen zijn geweest. Maar wat gebleven is, is een plein zonder woonwijk. Het Griekse theater - Gaudí hield ervan het plein zo te noemen - had de imposante afmetingen van 86 x 40 m. De ene helft is gebouwd op vaste grond, de andere helft rust op zuilen in Dorische stijl. Op die manier is de Griekse zuilenhal veeleer het fundament voor het veel grotere Griekse theater. De zuilen doen niet alleen dienst als dragers voor het dak, maar zijn tegelijk ook waterleidingen voor regenwater. In korte tijd kan op zo'n oppervlakte heel wat water verzameld worden. De zuilen zijn - hoe compact ze ook mogen lijken - van binnen hol. De bodem van het Griekse theater verbergt daarentegen een complex binnenleven. Deze is volkomen vlak, zodat het water niet in een bepaalde richting kan wegvloeien. Dit afvoersysteem heeft Gaudi als zo vaak in zijn latere fase, van de natuur afgekeken. De bodem is niet van cement voorzien, zodat het water in de grond kan zakken, waar het in een groot aantal op gehalveerde buizen lijkende vaten met kleine gaatjes en vervolgens in de holle zuilen kan wegdruppelen. Gaudí heeft er daarbij zelfs aan gedacht om het water tijdens deze reis ook nog te laten filtreren. Geen wonder dat de stad Barcelona hem de prijs voor het Casa Calvet niet alleen wegens de esthetische waarde van het gebouw heeft toegekend, maar ook voor zijn prestaties op het gebied van de afwatering, de luchtverversing en de luchttoevoer. Het symmetrische patroon van de zuilen doorbrak Gaudí op een aantal plaatsen om het niet te druk te laten lijken. Op deze plaatsen bracht zijn medewerker Jujol fascinerende, grote, ronde versieringen aan.

Onder en bladzijde 159: in de vormgeving van straatjes en wegen volgde Gaudí het voorbeeld van de natuur. In plaats van de heuvels vlak te maken maakte hij talrijke, door schuine steunpilaren en steunmuurtjes gevormde grotpaden.

Daarmee zijn alle verschillende functies van dit grote bouwcomplex nog lang niet uitgeput. De rond het plein leidende balustrade was niet alleen bedoeld om al te lichtzinnige passanten te behoeden voor een val. Gaudí maakte van deze balustrade een bijna oneindige zitbank. Het terras werd op die manier een plaats van ontmoeting. De eindeloze bank kronkelt in vele verschillend gevormde bochten om het terras heen en biedt zo aan veel mensen plaats. De bank is zo gestructureerd, dat de mensen - in de menigte en in de openlucht - toch intieme, kleine groepjes kunnen vormen, ofwel kleine gesprekseenheden. Dat de muur daardoor ook een organische vorm kreeg is eigenlijk meer een 'toevallig' neveneffect. Voor Gaudí was in deze fase een organische bouwwijze gebod nummer een. Hij vormde het zitvlak en de rugleuning van de bank zorgvuldig in over-

eenstemming met de fysiologische gegevens van het menselijk lichaam. Om deze vorm precies te krijgen schijnt hij een naakte man op nog zachte gips te hebben laten plaatsnemen om later met de afdruk ervan te werken.

De bank mag dan nog zo abstract als ornament overkomen, toch blijft ze - als zo veel van Gaudí's architectuur - dicht bij de realiteit en komt 'menselijk', 'natuurlijk' over. Ook wat de kleurgeving betreft, heeft hij zich niet ingehouden; daarvoor zorgde hij hier misschien wel het meest weelderig en kunstzinnig met zijn 'breukkeramiek'. Van duizenden gebroken keramiektegels en glasscherven liet hij op de bank een mozaïek vervaardigen, dat de dak -en muurversieringen die er tot dan toe waren, verreweg overtrof. Hij vertrouwde daarbij op de kunstzinnigheid van zijn arbeiders, omdat hij onmogelijk in zijn eentje al deze mozaïekstukken kon maken.

Een kunstcriticus meent het bewijs gevonden te hebben dat men de bank van rechts naar links decoreerde, omdat in die richting de kunstvaardigheid en fantasie duidelijk toenemen. Gaudí schiep met dit gemeenschappelijk werk als het ware een schilderij van Miró, nog voor deze begon te schilderen. (De werkzaamheden aan het park duurden van 1900-1914; Miró werd in 1893 geboren.) De bank is tegelijk door de keramiekversiering ook waterbestendig en zeer hygiënisch.

De bank mag dan nog zo bont zijn, toch past ze in het geheel van het park - misschien juist vanwege de organische bochten die zich net als de parkmuur aan de contouren van de heuvels aanpassen. Ook het wegennet van het park onderscheidt zich door een soortgelijke harmonie met de natuur. Gaudí mag dan wel grote bekendheid verworven hebben wat betreft de vormgeving, maar het wegennet is zijn grote prestatie op het gebied van de constructie en de statica, waarop hij later bij de Sagrada Familia verder bouwde.

Om het terein niet te hoeven effenen bouwde hij de straten in bochten, leidde hij ze langs de helling en door zuilengalerijen heen. Hij maakte hier van natuurlijk overkomende constructies gebruik. De zuilen liet hij van baksteen metselen wat optisch in het landschap nauwelijks opviel. De colonnades vormen op een aantal plaatsen grotten, die natuurlijk gegroeid lijken te zijn. De schuine zuilen - hoe fragiel ze er ook mogen uitzien - blijken uiterst stabiel te zijn. Gaudí heeft dat met modellen intensief uitgeprobeerd. Deze 'grotten' bieden bescherming tegen regen en al te

Promenadeweg met twee verdiepingen (links).
Promenadeweg met schuine, spiraalvormige zuilen (rechts).

Bovenste gedeelte van de promenade. De pijlers van de muur eindigen in de vorm van bloemenschalen. Het is een bijzonder indrukwekkend voorbeeld van hoe Gaudí de in de natuur voorkomende vormen in zijn architectuur met kunstmatige middelen nabootste.

veel zon en zijn bovendien voorzien van zitbanken. Het belangrijkste doel was steeds om de door de natuur gegeven vormen te bewaren. Met het Park Güell heeft Gaudí een wijk in een tot op dat moment onbewoond gebied gecreëerd en daarbij op een - juist in onze tijd - voorbeeldige wijze het landschap gerespecteerd. Daarom werd het park in 1984 door de UNESCO onder een internationale monumentenzorg geplaatst. Architectuur en natuur vormen in dit werk een symbiose. De architectuur is niet alleen aangepast aan de natuur, maar lijkt eruit gegroeid te zijn. Het komt vaak voor dat men een zuil, die boven in een van de bloemvazen uitmondt, op het eerste gezicht voor een palmboom aanziet. (Ook vergissingen in omgekeerde zin zijn mogelijk.)

Van alle bouwwerken van Gaudí onderscheidt zich het Park Güell door een grote verbondenheid met de natuur. Vanuit deze positie schiep de architect zijn latere werken, die tegenover de natuur een tweede, nieuwe natuur stelden.

Casa Batlló

1904 - 1906

Indrukwekkende zuilen, die op de voeten van een mammoet lijken, dat is het eerste wat de voorbijganger opvalt. Het dak herinnert aan een heel ander dier: het gekartelde profiel ervan doet denken aan de ruggegraat van een reusachtig voorwereldlijk reptiel. Daartussen bevindt zich een voorgevel met elegant gewelfde balkonnetjes, die aan het huis hangen als vogelnestjes aan een rotswand. De voorgevel zelf glinstert in vele kleuren en is afgezet met kleine ronde tegeltjes die eruit zien als de schubben van een vis. Nergens vinden we rechte hoeken en strakke lijnen, zelfs de muren zijn gegolfd en hebben meer weg van de huid van een zeeslang. Salvador Dalí bewonderde Gaudí's 'zachte deuren van kalfsleer'. Bij het Casa Batlló lijken de buitenmuren van zacht en soepel leer. En ook aan de binnenkant vinden we soortgelijke vloeiende vormen die uit een droomwereld lijken te stammen.

RENFE
APEADERO
PASEO DE GRACIA
LINEA III
ESTACION ARAGON
SYRA
LINEAS CERCANIAS

Bladzijde 163: de met mozaïeken en keramiektegeltjes versierde voorgevel lijkt in het licht van de ochtendzon te bewegen als de golven van de zee.

Bij geen ander gebouw is het nieuwe, baanbrekende van Gaudí's architectuur zo duidelijk, bijna symbolisch zichtbaar als in dit op een na laatste woonhuis. Zoals zo dikwijls in zijn carrière was hij niet geheel vrij in zijn doen en laten. Hij moest rekening houden met het omringende huizenbestand. Dat was ook bij het Colegio Teresiano het geval geweest, waar hij door middel van enige wezenlijke ingrepen in de constructie vorm gaf aan zijn ideeën betreffende de dragende elementen van een huis en via enkele optische kunstgrepen het gebouw van zijn signatuur voorzag.

Bij het smalle huis in de Passeig de Gràcia nr. 43 liggen de zaken echter anders. Aan het huis zoals het er nu bijstaat, is ook met de grootste fantasie niet meer af te lezen hoe het er eens moet hebben uitgezien. Alleen een vergelijking met de oorspronkelijke bouwtekeningen geeft opheldering. Josep Batlló i Casanovas, een rijke stoffenfabrikant, wilde zijn bestaande huis in deze deftige wijk van Barcelona van A tot Z laten herbouwen. Het huis dateerde van 1877 en moet een van de saaiste en conventioneelste van de hele buurt zijn geweest. In de naaste omgeving waren gebouwen van veel moderner allure verrezen. Kennelijk was Batlló erop uit deze huizen in moderniteit nog te overtreffen, want Gaudí stond al lang bekend om zijn eigengereidheid in de architectonische vormgeving. Weliswaar had Batlló het contact met Gaudí aan zijn vriend Pere Milà te danken, maar de stoffenfabrikant zal ongetwijfeld van het bestaan van de bouwmeester op de hoogte zijn geweest. Door zijn spectaculaire gebouwen voor Güell - het park en het paleis, dat overigens niet ver uit de buurt van de Passeig de Gràcia ligt - was Gaudí een bekende persoonlijkheid geworden.

Onder: origineel ontwerp van de voorgevel in Gaudí's karakteristieke stijl van de latere fase.

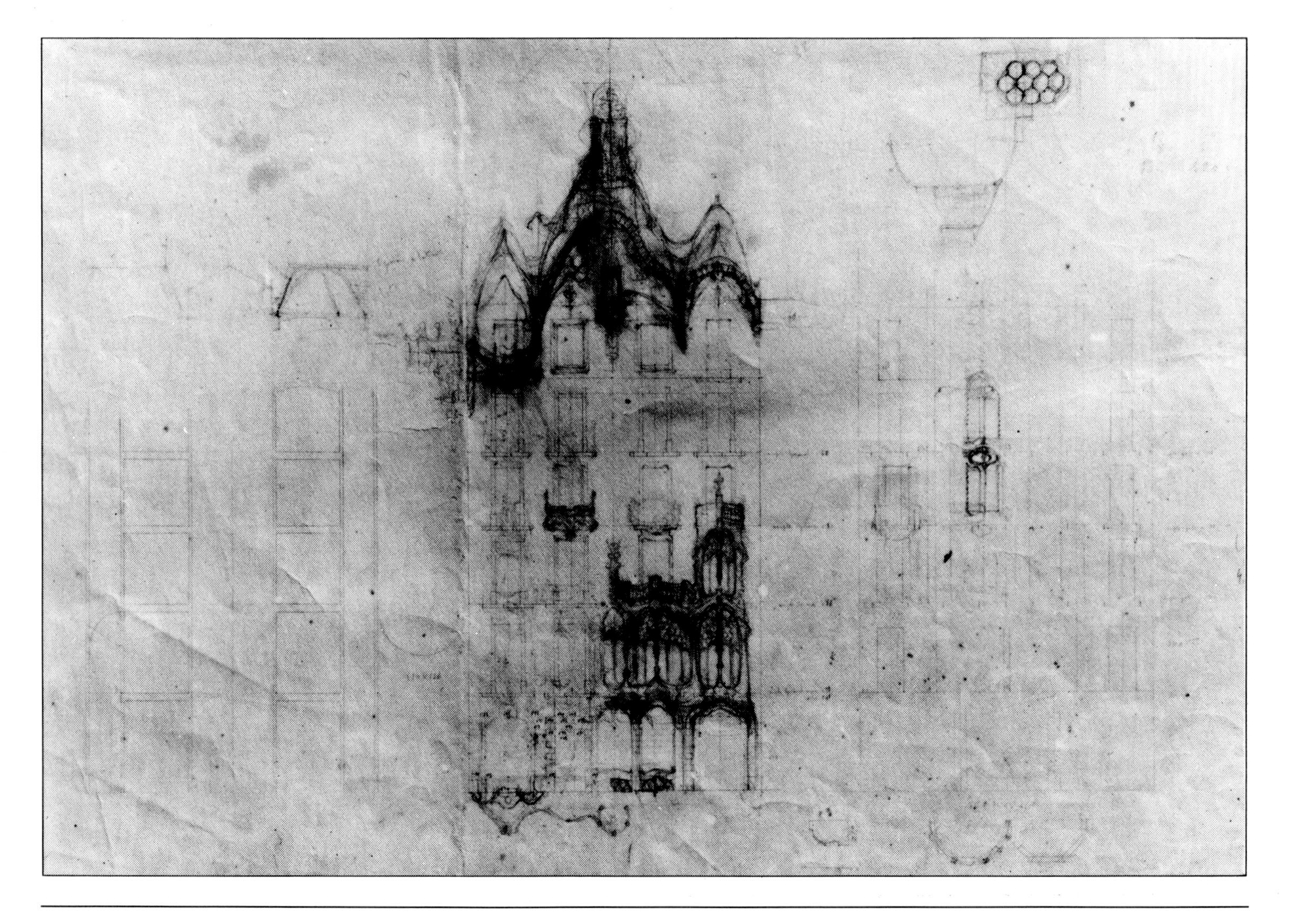

Balkon van de hoofdverdieping (eerste verdieping). Natuurstenen van de Montjuich werden zo glad gemaakt, dat het lijkt alsof ze van klei geboetseerd zijn.

Dat ook Batlló een grootscheeps project voor ogen stond, valt af te lezen uit het feit dat hij in 1901 bij het stadsbestuur het verzoek indiende zijn huis te mogen slopen om er een geheel nieuw gebouw te kunnen neerzetten. Zo ver kwam het echter niet, misschien ook, omdat Gaudí het niet nodig achtte zo radicaal opnieuw te beginnen. Door middel van een verbouwing een geheel nieuwe vorm te creëren heeft ook zijn aantrekkelijke kanten. En iets geheel nieuws werd het gebouw inderdaad, zelfs naar Gaudí's eigen maatstaven. Hij verliet geheel en al de zelfs in de moderne woningbouw gebruikelijke paden en schiep een in de meest ware zin van het woord fantastisch huis. Het begon al met de uiterst royale dimensies, die de begane grond van het toch zeer smalle huis suggereert. Zoals zo dikwijls in Gaudí's werk, was het beperkte bouwterrein een basisgegeven. Zijn gebouwen zijn ondanks de grandeur die ze uitstralen, allesbehalve groot. Met een paar kunstgrepen bereikte Gaudí het effect dat ze zich toch als zodanig aan ons voordoen. Denk bijvoorbeeld eens aan de twee reusachtige smeedijzeren toegangspoorten van het Palacio Güell. In het Casa Batlló zijn het vooral de dikke zuilen, die om de ingang heen een arcade vormen en die, op grond van hun dikte, een huis van gigantische dimensies doen verwachten. Deze zuilen brachten Gaudí dan ook meteen in conflict met de autoriteiten - ook daarin bleef hij trouw aan zichzelf. Bezwaren van de kant van het gemeentebestuur waren er al geweest bij het Casa Calvet. Had Gaudí daar de voorgeschreven hoogte overschreden, zo ging het deze keer over de breedte. De zuilen namen 60 cm van de stoep in beslag, in elk opzicht een steen des aanstoots voor de

Boven: begane grond en eerste verdieping (links). Ventilatie-opening in de patio. Met de naar beneden toe lichter wordende kleuren en de ramen van verschillende grootte, werd rekening gehouden met het invallende licht.

voetgangers, die letterlijk en figuurlijk over het gebouw struikelden. Geen ander gebouw choqueerde meer dan deze avantgardistische architectuur.

Maar net als bij het Casa Calvet bekommerde Gaudí zich niet om ambtelijke protesten. De zuilen staan er vandaag de dag nog steeds. En ook een tweede actie van de autoriteiten legde Gaudí naast zich neer. Hij had in het binnenhuis een tussenverdieping en in de dakverdieping twee ruimten gemaakt, waarvoor geen vergunning was aangevraagd. Wat op het eerste gezicht een formeel-juridisch geschil tussen architect en bouwpolitie lijkt te zijn, raakt in werkelijkheid aan het wezen van Gaudí's manier van bouwen. Zijn werken ontstonden tijdens het bouwproces zelf. Deze werkwijze, die zoals bekend bij de Sagrada Familia extreme vormen aannam, was al bij de Crypte Colònia Güell volledig voorhanden.

Misschien had Gaudí die problemen met de autoriteiten wel zien aankomen en had hij daarom als'bouwtekening' uitsluitend een sfeervolle schets ingediend, waar niets over de constructie op af te lezen viel. Maar dat was intussen zijn manier van ontwerpen geworden. Ook van de Crypte en de Sagrada Familia bestaan uitsluitend zulke met de hand getekende impressies. Alle drie de gebouwen lijken dan ook op elkaar.

Toch had Gaudí aanvankelijk niets te verbergen. Pas in de laatste fase van de verbouwing werd de omvang van zijn avantgardisme duidelijk. Wanneer we de bouwtekeningen van het oude gebouw met Gaudí's uiteindelijke resultaat vergelijken, dan valt op dat hij zich in wezen streng hield aan de gegeven ruimtelijke indeling. Het oude huis had overwegend

Bladzijde 167: ingangshal en trappenhuis

Bladzijde 168/169: een pregnant voorbeeld van de vormgeving van Gaudí's binnenruimtes. Plafond en muren lijken geboetseerd; er zijn nergens rechte lijnen en gladde vlakken.

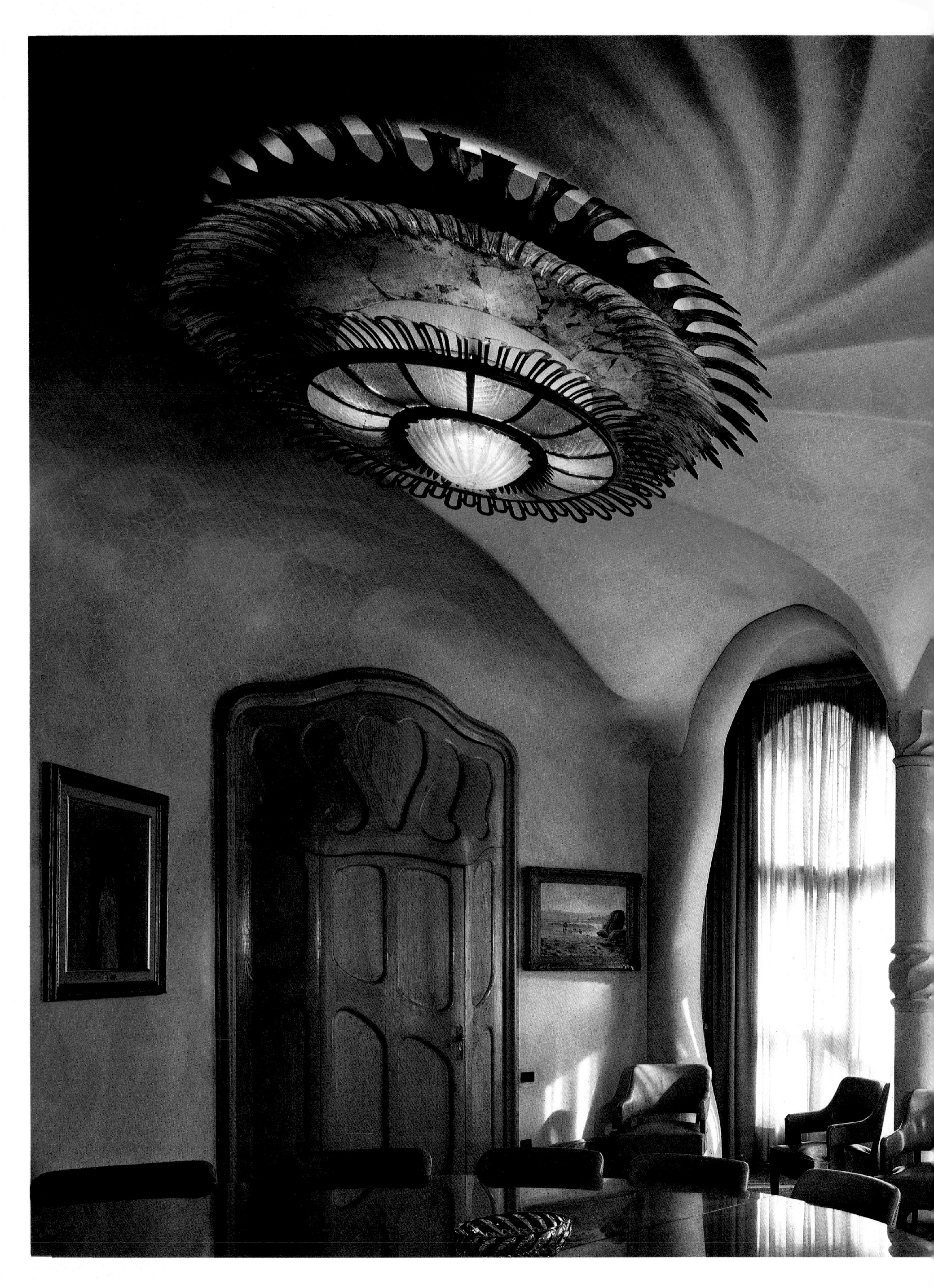

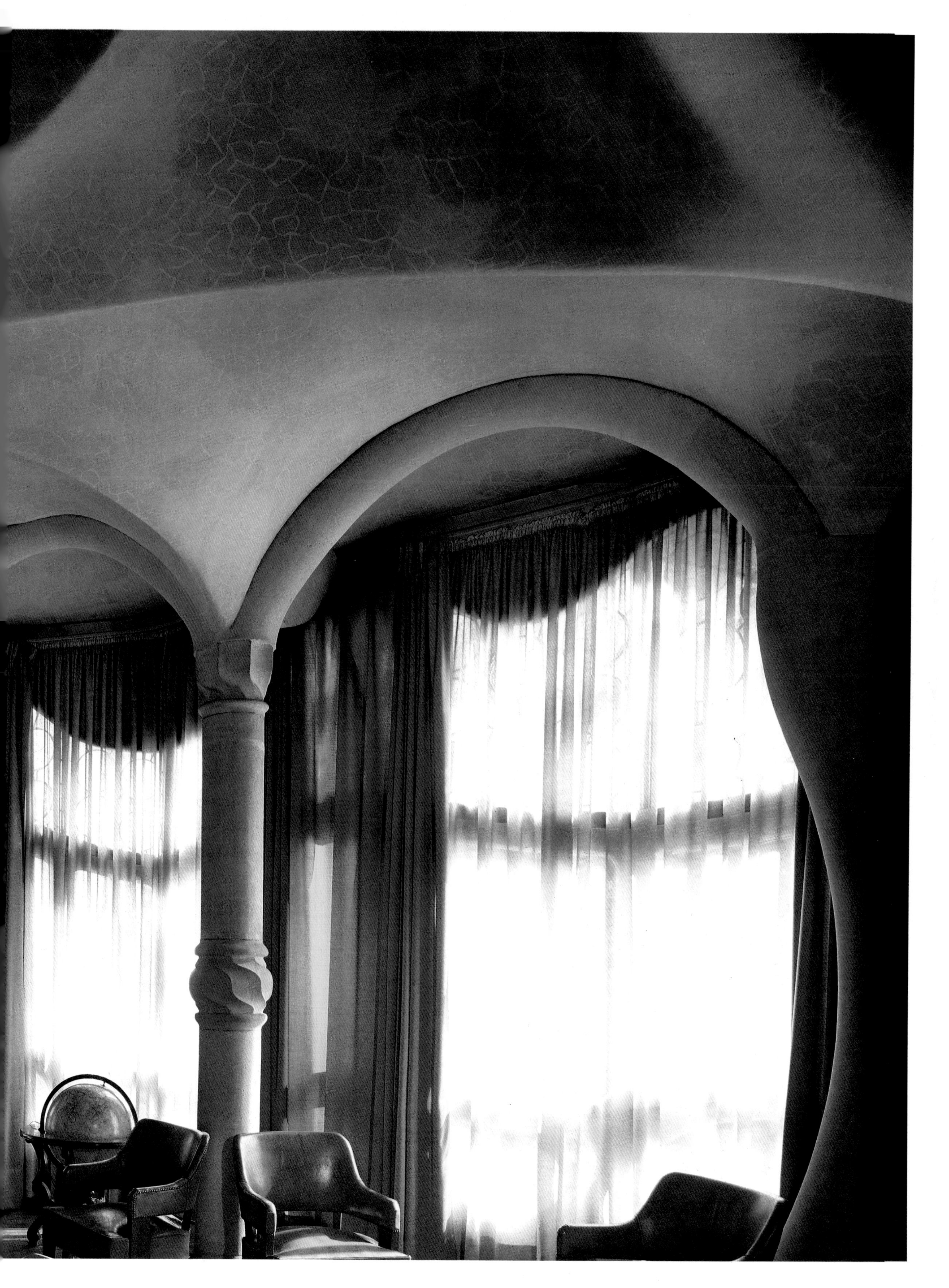

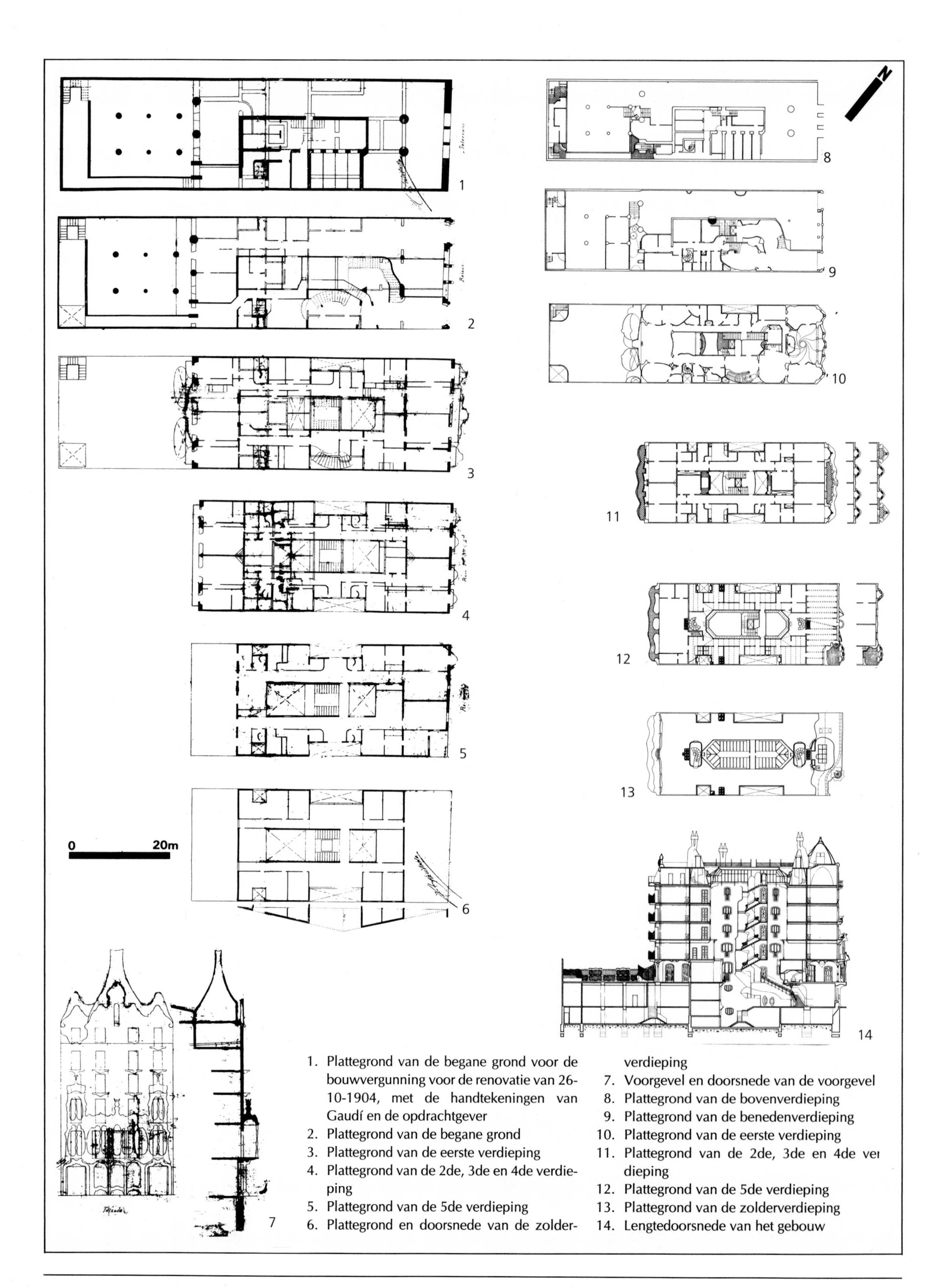

1. Plattegrond van de begane grond voor de bouwvergunning voor de renovatie van 26-10-1904, met de handtekeningen van Gaudí en de opdrachtgever
2. Plattegrond van de begane grond
3. Plattegrond van de eerste verdieping
4. Plattegrond van de 2de, 3de en 4de verdieping
5. Plattegrond van de 5de verdieping
6. Plattegrond en doorsnede van de zolderverdieping
7. Voorgevel en doorsnede van de voorgevel
8. Plattegrond van de bovenverdieping
9. Plattegrond van de benedenverdieping
10. Plattegrond van de eerste verdieping
11. Plattegrond van de 2de, 3de en 4de verdieping
12. Plattegrond van de 5de verdieping
13. Plattegrond van de zolderverdieping
14. Lengtedoorsnede van het gebouw

Boven: de met vuurvaste keramiektegels beklede open haard in een van de voorkamers.

rechthoekige vormen, zowel op de plattegrond als in de opstand. De voorgevel werd beheerst door per verdieping telkens vier langwerpige, rechthoekige ramen. Gaudí handhaafde deze indeling, alleen de vorm en het uiterlijk van de ramen werd compleet veranderd en aangevuld met grillig gevormde balkonnetjes, die als gestolde honingdruppels aan de lijsten lijken te kleven. Dat was voldoende om een volledig nieuw type huis te doen ontstaan. De traditionele gietijzeren balustrades van de vroegere balkons worden hier op speelse manier verrijkt met de sierlijke, elegante welvingen van muren en pleisterwerk. Alles wat hoekig, rechtlijnig is, ontbreekt; alles lijkt in beweging te zijn geraakt . Het is alsof het gebruikelijke bouwmateriaal geheel achterwege is gelaten. Baksteen, dat tot nu toe Gaudí's voorkeur genoot - met name de ornamentele toepassing ervan beheerste hij meesterlijk -, ontbreekt in Casa Batlló geheel. Voor de voorgevel gebruikte hij platte, zandsteenkleurige Montjuich-steen, die op geboetseerde klei lijkt. Dat komt ook door de manier waarop hij de oppervlakte bewerkte. Overal brengt Gaudí golvende, stromende lijnen aan. Het huis lijkt meer van suikerwerk dan van steen. De talrijke mozaïeksteentjes in de voorgevel, die in de zon voor glinsterende effecten zorgen, maken er helemaal een sprookjeshuis van. Naar het dak toe neemt het gebruik van keramiek aanzienlijk toe. Het dak zelf bestaat aan de straatkant uit blauw-rode dakpannen. De nok van het dak heeft een gebogen vorm die door de ronde pannen een wat gekarteld profiel krijgen.

Dat alles lijkt ontsproten aan een brein dat zich van alle traditionele vormen bevrijd heeft en alleen oog heeft voor zijn eigen dromen en visi-

Bladzijde 171: trap van de hal van de begane grond naar de eerste verdieping, waar zich de woonruimte van de familie Batlló bevindt. Op het eerste gezicht lijken de muren net een mozaïek, maar in werkelijkheid zijn ze beschilderd.

oenen. En toch hield Gaudí, zoals bij zoveel van zijn eerdere gebouwen, wel degelijk rekening met de omgeving. De kartellijn van de nok bijvoorbeeld correspondeert met de strenge, trapvormige gevel van het links aangrenzende huis. Ook wat de hoogte betreft oriënteerde hij zich op de omringende huizen. Hij zag er zelfs bewust vanaf de dakverdieping geheel uit te bouwen en verkleinde het bouwvolume in deze afsluitende etage. Zo loopt het huis naar boven toe en het dak wordt een hoed met aan de zijkant - bij wijze van veer - een sierlijk torentje ter versiering. Dit torentje wordt bekroond met het horizontale kruis dat inmiddels tot Gaudí's kenmerk was geworden. De speelse, golvende lijnen vinden we ook binnenshuis terug. Gaudí concentreerde zich daarbij vooral op de centrale woning, die aan de heer des huizes was toegedacht. Met kamers in de gewone zin van het woord heeft dat alles niets meer van doen. Gaudí liet alles in elkaar overgaan. Eerste pogingen daartoe had hij in het paleis van Güell ondernomen, maar pas nu lukte het hem de gebruikelijke ruimtescheiding geheel op te heffen. Hoe fantasierijk de diverse ruimtes ook aandoen - men heeft ze met de Jugendstil vergeleken, hoewel Gaudí hier geheel eigen wegen gaat -, toch ligt er een verbluffend nuchter, bijna simpel structuurprincipe aan ten grondslag. Het oude huis had, wat plattegrond en gevel betreft, een rechthoekige structuur. Ook bij Gaudí's huis komen plattegrond en voorgevel met elkaar overeen, alleen zijn de vormen nu principieel anders. Zoals aan de ene kant de vensters als organische uitstulpsels aandoen, alle onderling verschillend, zo is ook de horizontale indeling bepaald door onregelmatige vormen. Alsof we met de structuur van een organische cel te maken hebben.

Bladzijde 174/175: twee voorbeelden van Gaudí's fantasierijke vormgeving van het dak. Op het dak van het waterreservoir aan de linkerkant wisselen kogel- en cilindervormige keramieken elkaar af; daardoor krijgt het het aanzien van een verschrikkelijke draak of een vreselijk reptiel (blz 174). De torens voor de ventilatie en de schoorstenen versierde Gaudí met tegelstukjes (blz 175).

Onder: deur naar de zaal op de hoofdverdieping (links). Deuren op de hoofdverdieping, die de ruimte onderverdelen in zaal en kantoor (rechts).

Casa Milà

1906 - 1910

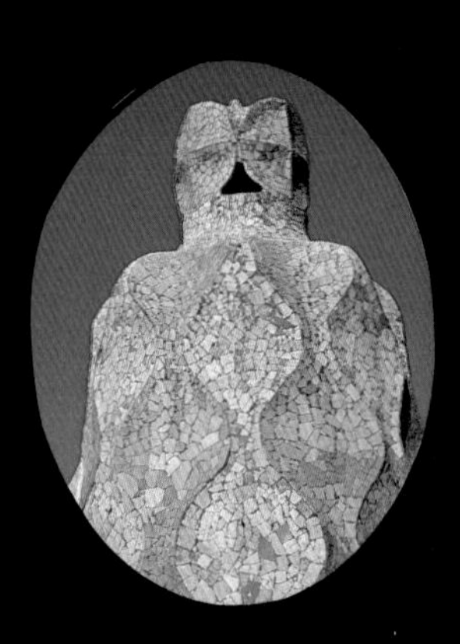

'La Pedrera' - de steengroeve - met deze bijnaam wordt een gebouw aangeduid, dat in de wereld uniek is. Men zou het kunnen vergelijken met steile rotswanden, waarin een of andere Afrikaanse stam grotachtige woningen heeft gebouwd. De gegolfde poreuze voorgevel herinnert tevens aan duinen en zandstrand, of men zou bij dit op en neer gekronkel van het gebouw kunnen denken aan een honingraat, die door vlijtige bijen is gebouwd. Gaudí construeerde met dit laatste wereldlijke gebouw, voordat hij zich met de Sagrada Familia ging bezighouden, een paradox, een kunstmatig natuurgebouw en tegelijk de samenvatting van al die vormen, waarmee hij inmiddels beroemd is geworden. Op het dak bevinden zich de imitatie van de bank in het Park Güell en zijn steeds imposanter wordende en potsierlijke schoorstenen.

Bladzijde 177: voor de voorgevel werd kalksteen gebruikt. Oorspronkelijk was deze crèmekleurig, maar door de luchtvervuiling veranderde de kleur.

Bladzijde 180/181: Voorgevel van dit geweldige hoekhuis.

Eigenlijk had Gaudí al met zijn Casa Battló het hoogtepunt van zijn niet-kerkelijke gebouwen bereikt. Het is nauwelijks voorstelbaar een nog grotere vrijheid ten aanzien van traditionele bouwvormen, een nog prachtiger en ook anarchistischer ontplooiing van vormfantasie te kunnen ontwikkelen. Bij dit bouwwerk voltooide Gaudí bovendien zijn nieuwe stijlfase. Hij benaderde de natuur in het Park Güell en ook bij de Crypte Colònia Güell zo, dat de gebouwen als een tweede natuur overkwamen; een kunstmatig nieuw scheppen van natuurlijke vormen en bouwprincipes, kunnen we zeggen. Maar bij het Casa Milà werd dit zelfs nog overtroffen. De natuurlijk lijkende vormen werden pure kunstvormen, die slechts herinneren aan natuurlijke gegevens. De voorgevel vergeleek men zeker niet ten onrechte met het oppervlak van een door een storm geteisterde zee. De kleine mozaïekornamenten in de voorgevel lijken op bruisend schuim; bij Gaudí, hoe zou het anders, had het een puur versierende functie. Gaudí imiteerde de natuur niet. Ook de meubelen die hij voor zijn opdrachtgever fabriceerde, lijken weliswaar gemaakt volgens het voorbeeld van het menselijk lichaam, maar toch gebruikte hij geen lichaamsvormen. De tijden, waarin hij deurknoppen maakte die sprekend op een botje leken, waren voorbij. Door het intensieve bezig zijn met de structuren van de natuur maakte hij ze zich eigen en kon ze op een speelse manier handhaven, zoals hij in het begin van zijn carrière met de aanwezige bouwstijlen deed. Maar Gaudí speelde ook met elementen van zijn eigen bouwstijl; dat kunnen we steeds duidelijker zien in de rijpere, latere fase van de kunstenaar.

Wat betreft de fantastische ideeën wordt het Casa Milà zeker niet overtroffen door het Casa Battló. Maar anders dan bij de laatstgenoemde gebruikte hij hier veel minder kleuren, ook ontbreken de vele verschillende keramiekmaterialen en -vormen. Ook de op een grote ruggegraat (bijvoorbeeld van een reptiel) lijkende trapleuning binnenin het huis (met hetzelfde, zich herhalende motief op de nok van het dak) kan men tevergeefs in dit laatste woonhuis zoeken. Gaudí heeft wat dat betreft zijn hoogtepunt al bereikt. Het is moeilijk te zeggen waarom Gaudí de opdracht van zijn vriend Pere Milà toch heeft aangenomen. Misschien dat hem de dimensies aantrokken. Voor het eerst hoefde hij het huis niet groter te laten lijken dan het was, maar kon hij van begin af aan in grootse stijl bouwen. Het bouwterrein lag niet ver weg van het Casa Batlló, op de hoek Passeig de Gràcia en Calle de Provença. Het hoekhuis eiste een ander soort aanpak dan de tot dan toe gebruikte structuren van zijn gebouwen. Tot op dat moment accentueerde hij voornamelijk de ingang, hetzij door een balkonachtige uitbouw zoals bij het Palacio Güell, hetzij door een weelderig versierde erker boven de ingangsdeur zoals bij het Casa Calvet of door een combinatie van balkon en binnenplaats met bogen zoals bij het Casa Batlló. Het Casa Milà, dat als een groot woonhuis moest dienen, had vanzelfsprekend meerdere ingangen nodig. Gaudí plande zelfs een brede oprit voor de binnenplaatsen, waarop koetsen konden rijden, maar later week hij van dit plan af.

Het terrein van meer dan 1000 vierkante meter oppervlakte was een uitdaging. Het lag dan wel op de hoek van twee straten, maar Gaudí construeerde het zo, dat het het karakter van één gebouw kreeg. De hoek zelf kwam op de achtergrond, verdween bijna. Hij schiep een soort rondbouw. Het huis lijkt zich zo om beide straten heen te welven. Het kreeg

Onder: als een olifantspoot staat deze zuil op de stoep.

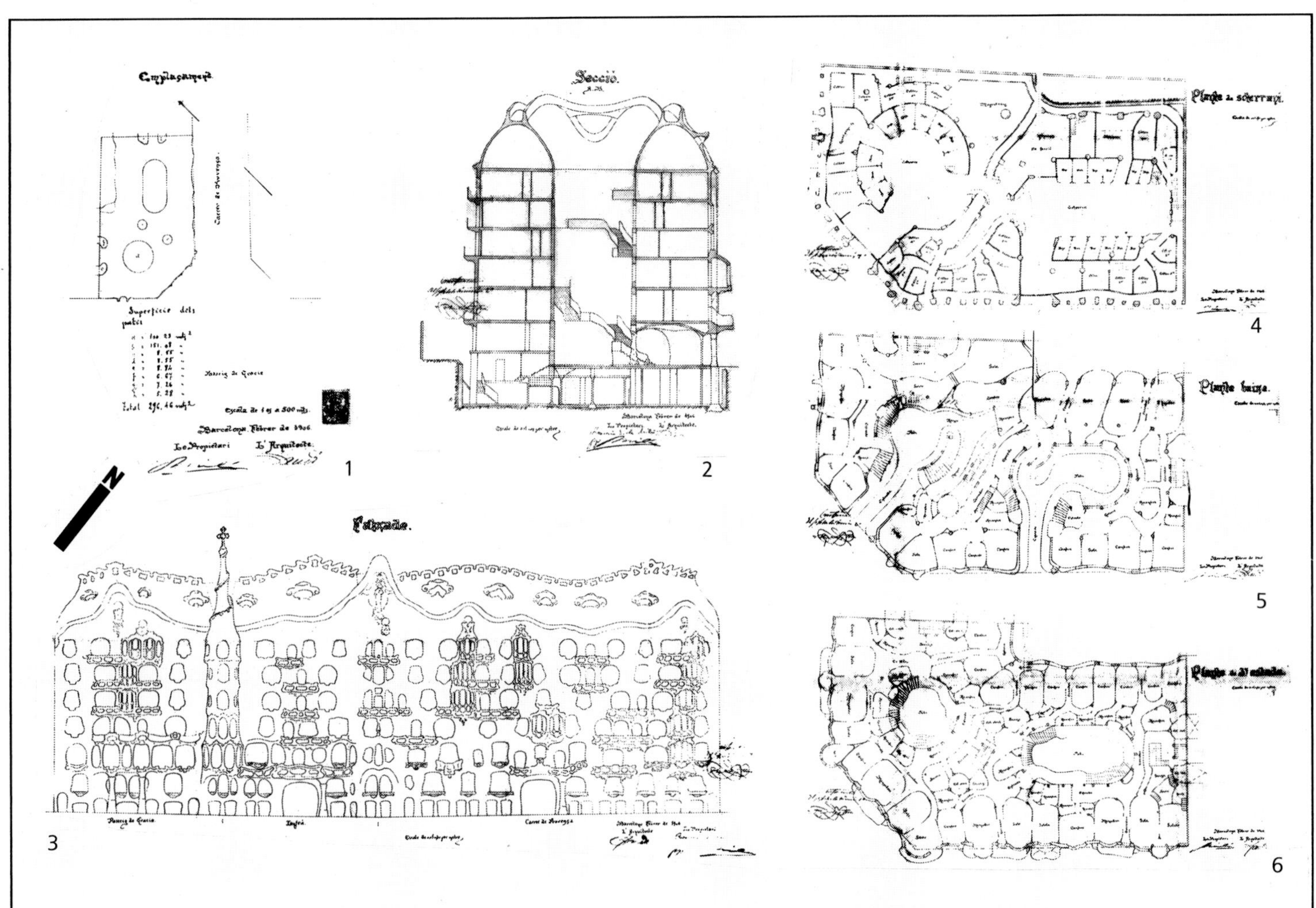

1. Oorspronkelijke plattegrond (gesigneerd door Gaudí en Milà)
2. Dwarsdoorsnede
3. Ontwerp voor het Casa Milà
4. Plattegrond van het souterrain
5. Plattegrond van de begane grond
6. Plattegrond van de tweede verdieping
7. Ontwerp van de voorgevel, getekend door Martinell (1967)

CEMENTOS MOLINS S.A

Bladzijde 183: blik vanuit de binnenplaats naar boven. Beneden ziet men de zuilen van de ingangshal.

het karakter van een rondbouw, een overgeproportioneerde toren, omdat er - noodgewongen vanwege het licht - twee grote binnenplaatsen nodig waren. Maar ook hier creëerde de architect iets geheel nieuws. Bijna al zijn gebouwen hebben een soortgelijke vernieuwing die vaak - met wat vertraging - veld won binnen de architectuur van Barcelona. Bij het Casa Milà verving hij de gebruikelijke hoekige patio's door ronde binnenplaatsen, die naar boven toe breder worden. Wanneer men een luchtfoto van het gebouw bekijkt, ziet men dat deze binnenplaatsen alles naar zich toetrekken, niet alleen maar het licht en de lucht. Het zijn een soort reusachtige trechters. Door de schuine huiswanden aan het eind van deze trechters lukte het Gaudí zelfs nog de zolderverdieping van licht te voorzien. Al deze ideeën hebben in minder mate ornamentele, maar vooral praktische doelstellingen. Ook hierin zien we het verschil met het Casa Batlló. De grote betekenis van het Casa Milà ligt vooral ook in het feit, dat men er een synthese van Gaudí's latere stijlelementen in kan herkennen. Een ervan is - bijna vanzelfsprekend - de gebruikelijke, talrijke ruzies met de bouwpolitie. Net als bij het Casa Batlló steekt hier de voorgevel met een zuil - van een meter zelfs - op de stoep uit. Van verwijderen was geen sprake. De stad zou er uiteindelijk mee akoord gaan, mits Gaudí het uitspringende gedeelte van de voorgevel weg zou halen. Gaudí, blijkbaar geheel tot toenadering bereid - was het ermee eens, alhoewel onder één voorwaarde, namelijk dat hij op die plek een bord zou mogen zetten, waarop vermeld zou staan waarom hij dit gebouw moest verminken. De stad trok haar protest vervolgens in. Het volgende bezwaar van de kant van de autoriteiten kwam, toen Gaudí - opnieuw - de voorgeschreven maximumhoogte overschreed. Dit zag men al aankomen, want Gaudí veranderde zijn bouwplannen al tijdens de bouwwerkzaamheden. Ook hier won Gaudí: hij zag niet van de door hem geplande zolderverdieping af.

Onder: ijzeren poort van de ingang naar de Calle de Provença (links). Trap van het binnenhuis die naar de eerste verdieping leidt.

Bladzijde 185: in wit licht stralende ronde bogen vormen het meest naar voren tredende vormprincipe van de zolderverdiepingen.

Bladzijde 186/187: eind van het trappenhuis, met door Gaudí gevormde potsierlijke schoorstenen op het dak.

Een incident tijdens de bouwwerkzaamheden leidde er uiteindelijk toe dat Gaudí zijn belangstelling voor het gebouw verloor; hij liet het onvoltooid achter, hoewel de rest eigenlijk alleen nog maar uit details bestond. Gaudí plande namelijk een reeks opdrachten aan de Heilige Maagd Maria op de voorgevel van het gebouw. Hij maakte er zelfs een nis, waarin Maria met stralenkrans en op haar arm het kindje Jezus, geflankeerd door twee engelen - waarvan een de Heilige Maagd aanbidt en de ander het heilige gezelschap met het zwaard verdedigt tegen vijanden - zou komen te staan. Tijdens de bouwwerkzaamheden onstond echter in Barcelona een felle, zelfs bloedige opstand tegen de geestelijkheid. Tijdens deze 'Semana Trágica' (26 -30 juli 1909) vielen talrijke kloosters in de stad ten prooi aan de vlammen. Met deze anti-religieuze stemming van de bevolking voor ogen vond de opdrachtgever (en zelfs zijn religieuze echtgenote) het niet verstandig het toch al opvallende gebouw ook nog van religieuze afbeeldingen te voorzien. In dit opzicht kon Gaudí zijn standpunt niet doordrijven en de relatie tussen opdrachtgever en architect was aanzienlijk bekoeld.

Maar misschien was het zelfs beter dat Gaudí, die steeds religieuzer werd en steeds meer religieuze symboliek in zijn gebouwen verwerkte, juist in dit geval geen elementen op het woonhuis toepaste die eigenlijk beter bij de Sagrada Familia pasten. Zonder deze sculpturen lijkt de voorgevel van het gebouw - hoe bijzonder hij ook moge zijn - uit één stuk gegoten, alhoewel minder fijn geboetseerd dan die van het Casa Batlló. Gaudí beperkte zich bij de buitenmuur geheel tot de kleuren van de natuursteen. Het oppervlak lijkt geen bepaalde lijn te volgen. Door steeds meer gevarieerde golven, welvingen en nissen onstaat een asymmetrische, 'natuurlijke' indruk, wat de kijkers en critici dan ook tot talrijke maar onjuiste vergelijkingen inspireerde. 'La Pedrera' - de steengroeve - werd het gebouw in de volksmond genoemd. Maar het enige wat aan een steengroeve doet denken, zijn de kleur en het oppervlak van de voorgevel. Wanneer men het huis van boven bekijkt, denkt men de lijnen van zeegolven te herkennen, toch zijn deze golven voor een dergelijke associatie veel te glad en te harmonieus. Het Casa Milà laat zich hooguit met andere werken van Gaudí vergelijken. Men zou zich bijvoorbeeld aan de eindeloos lange, gewelfde bank in het Park Güell herinnerd kunnen voelen; bij het Casa Milà zijn het de gegolfde daklijnen die op hun beurt weer de lijnen van de lagere etages opnemen.

Niets aan dit gebouw is gelijkvormig. De plattegronden van de respectievelijke verdiepingen zijn allemaal verschillend. Een zo afwisselende ruimtestructuur was alleen mogelijk doordat Gaudí, zoals hij in globale lijnen al bij zijn vroegere gebouwen had gedaan, van het gebruik van dragende muren afzag. Zo staat er in het hele Casa Milà geen een. Alles rust op talrijke zuilen en draagbalken. Afhankelijk van de golfstructuur van de voorgevel hebben de ruimten ook verschillende hoogtes.

Het geheel is minder een huis, maar veeleer een reusachtige, van een zacht soort materiaal geboetseerde sculptuur. In plaats van vergelijkingen met de natuur heeft men bij dit werk meer aan een reeks vormassociaties, want Gaudí werd voornamelijk door de plastische vorm gefascineerd. "De vormen van dit huis lijken vanbinnenuit gedreven, gerekt, gedeukt en uiteindelijk tot een eenheid gelast te zijn. Binnen en buiten, hol en bol, geheel en detail, muur en dak zijn een door eenzelfde ritme doorstroomd

Onder: het Casa Milà verbaasde de tijdgenoten dusdanig, dat er vele karikaturen ontstonden.

SALIDA

SALIDA

Schoorstenen in de meest verschillende vormen. Hier komt Gaudí's eigenzinnige stijl het duidelijkst naar voren.

geheel. Wat men normaal gesproken een voorgevel noemde, werd hier in de loodlijn een gewelfde oppervlakte en een raam werd een ingedeukt gat. In de horizontale lijn is wat men tot nu toe dak noemde, tot een levendig landschap geworden." (Josef Wiedemann)

De harmonische vormgeving van de voorgevel is ook binnen te zien. Nergens ziet men een rechte lijn; alles lijkt beeldend vormgegeven. In de welvingen en rondingen vindt een spel van donker en licht plaats. In dit gebouw staat men steeds voor verrassingen; zo zijn zelfs overeenkomsten te vinden met het Colegio Teresiano in de vorm van de witte muurbogen die de zolderverdiepingen steunen. Op het dak bevindt zich een grappig landschap van schoorstenen en ventilatiekokers in de vorm van surrealistisch lijkende sculpturen, die pas later in de kunstgeschiedenis, niet

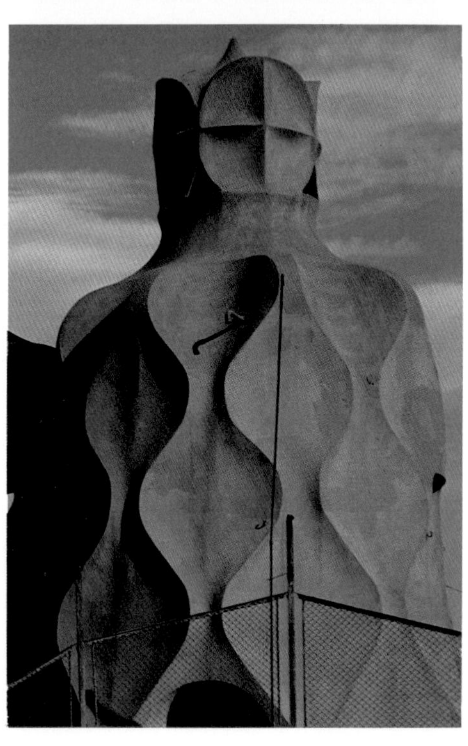

binnen de architectuur - want Gaudí's Casa Milà bleef uniek - maar in de beeldhouwkunst, werden herhaald.

Maar lange tijd begreep men het Casa Milà niet en zo ontstonden er natuurlijk talrijke parodieën, die laten zien dat het gebouw ondanks de spotternijen toch een bepaalde fascinatie op de tijdgenoten uitoefende - een fascinatie die helaas alleen op uiterlijke details berustte. Men vergat daarbij dat Gaudí zich in dit huis liet leiden door praktische ideeën, die de toekomstige ontwikkeling aanduidden; een voorbeeld daarvan is zijn voorloper op de ondergrondse parkeergarage in het souterrain.

Sagrada Familia

1883 - 1926

Als niet de hopen stenen, bouwkranen en gereedschappen voortdurend tot het decor van de kerk zouden horen, zou men in de verleiding kunnen komen om het hoofdportaal te betreden. Vanuit het oosten gezien lijkt het machtige bouwwerk voltooid - een kerk in de geest van de gotiek en toch geheel van onze eeuw; in ieder geval een eeuwenwerk. Meer dan honderd jaar geleden nam Gaudí de leiding van de bouw over, en nu, tientallen jaren na zijn dood, staat er nog steeds niet meer dan een deel van de buitenmuren. Het hoofdportaal zal nog lang op zich laten wachten. Aan de façade is nog niet eens begonnen.
Als de bouw van deze kerk ooit wordt voltooid, zal ze in ieder geval alle dimensies te buiten gaan en zal de eerste mis klinken als het geschal van hemelse heerscharen: op de galerijen is plaats voor 1500 zangers, 700 kinderen en 5 orgels. Voorlopig is dat echter toekomstmuziek.

Bladzijde 191: gezicht op de oostfaçade. Aan de rechterkant bevindt zich de koornis.

Het is nauwelijks mogelijk om in de geschiedenis van de kunst een parallel met deze kerkbouw te vinden. In de regel spreekt men bij kunstenaars van een (dikwijls afsluitend) hoofdwerk, maar bij Gaudí is dat onmogelijk. Zijn hoofdwerk is tegelijk zijn levenswerk. De Sagrada Familia heeft hem zijn leven lang begeleid. In november 1883, toen Gaudí op de leeftijd van 31 jaar de leiding over de bouw overnam, rekende nog niemand daarop, en hijzelf nog het minst.

Hij scheen lange tijd optimistisch te zijn over de voltooiing van de bouw. In 1886 dacht hij nog de Sagrada Familia in tien jaar af te kunnen maken, als hij jaarlijks maar 360.000 pesetas ter beschikking had. Maar zelfs de financiële voorwaarden waren niet vanzelfsprekend, want de kerk was als verzoeningskerk gepland en moest uitsluitend met behulp van schenkingen gebouwd worden. Dat leidde tijdens de Eerste Wereldoorlog tot aanzienlijke vertragingen; Gaudí ging persoonlijk van huis tot huis om geld in te zamelen.

Dat de kerk in 1906 nog niet klaar was - men bevond zich midden in de bouw van één (!) van de drie hoofdfaçades -, lag ook aan Gaudí's manier van bouwen. Toen hij de leiding overnam, had hij in eerste instantie een beroepsmatige interesse in de opdracht. Het was zijn eerste grote project, voor kerkgebouwen had hij al enige tijd belangstelling, maar emotioneel stond hij in die tijd eerder sceptisch tegenover de Kerk.

Ook tegenover het bestaande ontwerp van Villar stond hij sceptisch. Hij kon en wilde diens streng neogotische aanzet niet voortzetten. De graafwerkzaamheden voor de crypte, waarop vervolgens de koornis gebouwd zou worden, waren reeds klaar; de zuilen van de crypte waren zelfs al grotendeels gebouwd. Het liefste zou Gaudí de as van het hele gebouw wat hebben gedraaid, maar dit kon niet meer. Ook de door Villar gebouwde zuilen bevielen hem niet. Maar wat veranderingen betreft hield hij zich in. Wel probeerde hij een tijdlang aan de door Villar gebouwde zuilen nog een aantal andere, door hem vormgegeven zuilen toe te voegen, maar toen zag hij in dat dit tot een onzinnige 'burgeroorlog onder de zuilen' zou voeren. Zo draagt de crypte maar in geringe mate het handschrift van Gaudí. Wel vergrootte hij de patrijspoortachtige ramen van Villar en maakte de bogen hoger, zodat de ruimte lichter en minder drukkend werkt dan in Villars plan.

Met de boven de crypte gebouwde koornis begint dan Gaudí's eigenlijke werk. Daarbij bleef de gotiek als inspiratiebron aanwezig, maar Gaudí verwijderde alle overvloedige vormen. De gotische raamvorm bleef bestaan, maar werd verluchtigd door verschillende cirkelelementen. Zeven kapellen lopen waaiervormig naar het altaar toe, dat alleen al daardoor in het middelpunt van de belangstelling wordt getrokken. Verder is het altaar bevrijd van de sinds eeuwen gebruikelijke overmatige versieringen, waardoor het in vele kerken bijna niet meer te zien is. Hier is al te merken hoe Gaudí rekening hield met de religieuze functie van de kerk. Hij bestudeerde tijdens zijn werk aan de Sagrada Familia niet alleen de sacrale bouwwijze, maar ook de liturgie van de diensten.

Maar niet alleen het rekening houden met het ontwerp van de vroegere architect vertraagde de bouw, het was vooral Gaudí's manier van werken. Hij bouwde niet zozeer aan de hand van een vast ontwerp, maar ontwikkelde zijn ideeën tijdens de bouw. Dit is aan geen ander bouwwerk zo duidelijk te zien als aan de Sagrada Familia. Het is veelzeggend dat in

Bladzijde 194: middengedeelte van de oostfaçade. De vier klokkentorens zijn gewijd aan de heilige Barnabas, Petrus, Judas Thadeus en Matheus. Op de achtergrond zijn de torens van de Passiefaçade te zien.

Bladzijde 195: groep van klokkentorens van de oostfaçade met het opschrift "Sanctus, Sanctus, Sanctus" ("Heilig, Heilig, Heilig").

1

2

3

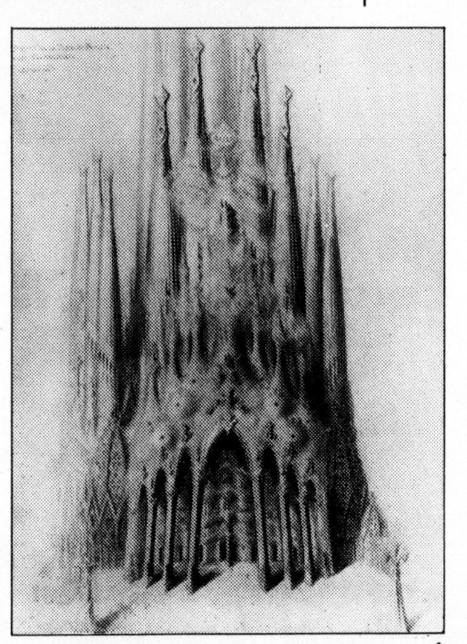

4

5

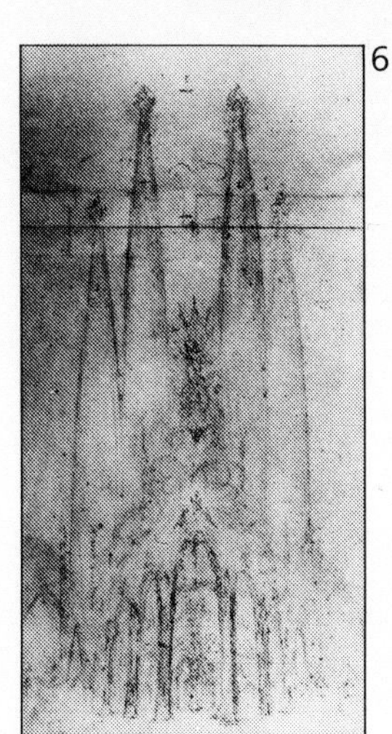

6

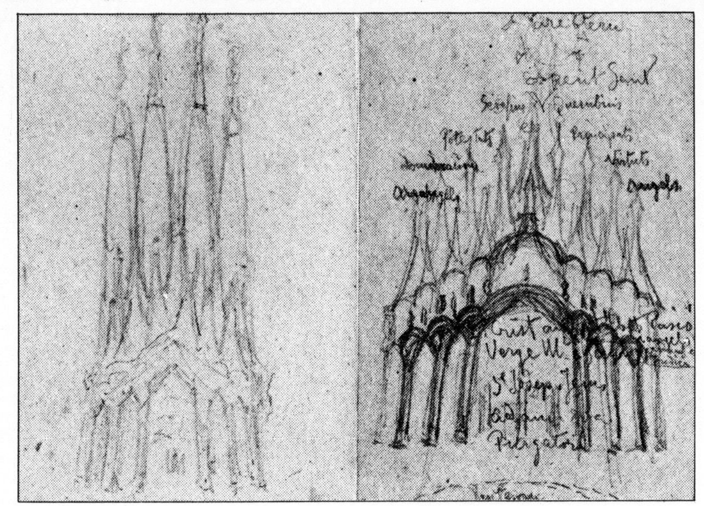

7

1. Schets van de kathedraal (van Gaudí)
2. Schets van de kathedraal (van Rubió)
3. en 4. Façadetekeningen van Matamala
5. Schets van de kathedraal (van Matamala)
6. en 7. Façadeschetsen (vermoedelijk van Gaudí)

Hosanna
Excelsis
Hosanna
Excelsis

Sanctus
Sanctus
Sanctus
Sanctus

Bladzijde 196/197: verschillende beeldgroepen, bijvoorbeeld de kroning van de Moeder Gods en trompetblazende engelen boven het Portaal van de Liefde in de oostfaçade.

zijn eerste tekeningen niets over de constructie staat; ze geven meer een algemene indruk van het geplande complex, zijn bijna sfeerbeelden.

Een voorbeeld van Gaudí's steeds veranderende, steeds nieuwe inzichten volgende manier van bouwen is de vorming, of beter de ontwikkeling van de torens, symbolen van de kerk of misschien wel van de stad Barcelona. Er moesten twaalf klokkentorens komen, vier bij ieder van de drie hoofdfaçades. Gaudí begon ze rechthoekig te maken; ze dienen ter omlijsting van de drie portalen van de hoofdfaçades. Toen bleek dat de torens boven de portalen dan wel erg spits omhoog zouden gaan. Dat beviel Gaudí niet en hij besloot ze rond te maken.

Het resultaat is fascinerend. De torens worden wel naar boven toe geleidelijk dunner, maar ze hebben niets gemeen met de historische gotische spitsvorm. Gaudí greep eerder terug op een nieuwe vorm, die hij al bij het Colegio Teresiano met succes had toegepast. Hij vormde de torens als rotatieparabolen. Zo streeft de structuur van deze façades volkomen omhoog. De spits oprijzende portalen wekken ook die indruk, hoewel ze - net als de vensters van de koornis - door ingebouwde cirkelelementen wat milder werken. En de als een spiraal omhooglopende torenvensters nemen de beschouwer bijna mee naar boven. Maar door de ronde afsluiting van de torens wordt deze opwaartse drang weer afgeremd. Bovendien zette Gaudí zijn torens nog een afsluitende kanteel op, die elke opwaartse beweging tot een einde brengt. Vanuit de verte lijken deze kantelen op grote bisschopsmijters.

Gaudí wilde inderdaad met de torens, die voor ieder van de twaalf apostelen staan, ook naar de verdere geschiedenis van het christendom verwijzen. Zoals uit de apostelen de bisschoppen onstonden, zo monden de twaalf torens uit in een soort mijter en werkt de hele toren als een soort bisschopsstaf. Daarmee tekent zich een kenmerk van deze kerk af. Ook al werken de constructies van de portalen en de torens in de eerste plaats als architectuur - fantasievol, maar bouwtechnisch gezien zinvol -, toch vervult elk element van deze kerk tegelijkertijd een tweede, voor Gaudí misschien veel belangrijker symbolische functie.

Taferelen uit de bijbel als 'illustratie' op kathedralen is niet ongebruikelijk. Ook bij de Sagrada Familia is dat te zien, maar in een rijkdom die zelden wordt gezien. Gaudí wilde niet alleen een godshuis bouwen, een verzamelplaats ter ere van God; hij dacht eerder aan een katechismus van steen, een reusachtig 'boek' dat door de kijker 'gelezen' kon worden. Dat uit zich in een steeds weer aan te treffen hang naar symboliek. De twaalf torens zijn daarvan een traditioneel voorbeeld. Maar ze verwijzen wel naar een centraal structuurkenmerk. Gaudí stelde zich de kerk als een mystiek Corpus Christi voor. Het middelpunt is Christus zelf, van binnen gesymboliseerd door het altaar. Christus is echter in de eerste plaats het hoofd van dit lichaam - gesymboliseerd door de hoofdtoren die met zijn grote kruis op de top verwijst naar de verlossing. De twaalf torens, die de façades bekronen, verwijzen naar de christenen, vertegenwoordigd door de apostelen.

Al deze dingen moet men met zijn eigen fantasie aanvullen. Gaudí zelf kon niet eens de koornis helemaal afmaken. De oostfaçade, waarmee hij de hoofdbouw begon, bleef eveneens onvoltooid. Toen Gaudí stierf, waren slechts drie van de vier oostelijke torens klaar. Van de geplande drie façades is alleen de oostfaçade door hem zelf voor een groot deel voltooid.

Onder: de stand van de werkzaamheden in het jaar 1889, 1895 en 1899 (van boven naar beneden).

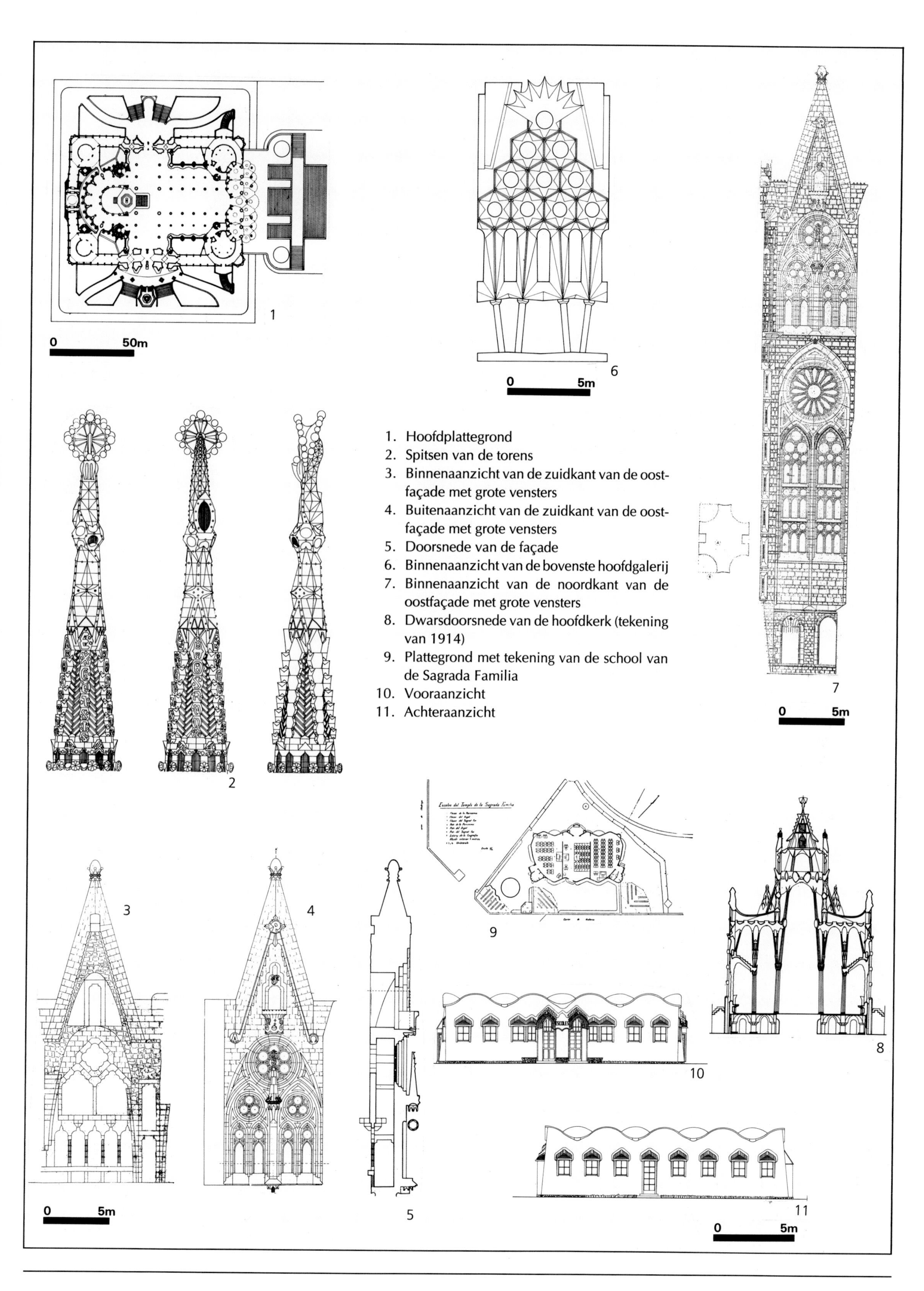

1. Hoofdplattegrond
2. Spitsen van de torens
3. Binnenaanzicht van de zuidkant van de oostfaçade met grote vensters
4. Buitenaanzicht van de zuidkant van de oostfaçade met grote vensters
5. Doorsnede van de façade
6. Binnenaanzicht van de bovenste hoofdgalerij
7. Binnenaanzicht van de noordkant van de oostfaçade met grote vensters
8. Dwarsdoorsnede van de hoofdkerk (tekening van 1914)
9. Plattegrond met tekening van de school van de Sagrada Familia
10. Vooraanzicht
11. Achteraanzicht

Voorstellingen in het Portaal van de Liefde: kroning van de Moeder Gods (links). Trompetblazende engelen zonder vleugels. Gaudí wilde zijn engelen niet met vleugels uitbeelden maar hun wezen op een andere manier tot uitdrukking brengen, omdat hij van mening was dat ze met deze vleugels toch niet hadden kunnen vliegen (rechts).

De rest bestond alleen als ontwerp en als gipsmodel (dat echter tijdens de Spaanse burgeroorlog door brand werd vernietigd en later opnieuw geconstrueerd moest worden). Maar juist de vorm van deze façades bevat het wezenlijke van Gaudí's concept. Elk van de façades is gewijd aan een aspect van de werken van Christus. In realistische voorstellingen en in symbolische verwijzingen verschijnt Christus als mens op aarde, als verlosser van de mensheid en als rechter over leven en dood op de jongste dag.

Maar Gaudí kon alleen maar de aardse geschiedenis van Christus voorstellen. Dat hij met de oostfaçade, de 'Kerstmisfaçade' begon, had overigens thematische gronden. Vrienden en raadgevers wilden Gaudí ertoe brengen om met de westfaçade aan te vangen. Deze zou eerder de aandacht van de bevolking hebben getrokken dan de (toen) van de stad afgekeerde oostfaçade.

De westkant was echter in het ontwerp aan het lijden van Christus gewijd. Gaudí dacht dat hij de mensen zou afschrikken als hij daarmee zou beginnen. Misschien had hij gelijk. Passend bij het droevige onderwerp van deze façade ontbreekt daar elke ornamentele versiering en domineren er harde, ruwe vormen. Daarentegen konden bij de levensgeschiedenis van Christus begrijpelijke voorstellingen gekozen worden. De vlucht naar Egypte werd door Gaudí vol hoop voor de toekomst vorm gegeven. Johannes de Doper met zijn profetieën en Jezus, die de schriftgeleerden de Heilige Schrift uitlegt - dat alles wordt bijna

Voorstelling van Maria Boodschap aan het Portaal van de Liefde (links). De kindermoord door Herodus aan het Portaal van de Hoop (rechts).

naïever, gladder voorgesteld in de talrijke nissen van deze façade. Daarbij komen nog de namen van de drie portalen: in het midden het Portaal van de Liefde, het grootste van de drie, met de voorstelling van de geboorte van Jezus en een symbool van de liefde, de pelikaan. Links daarvan het Portaal van de Hoop, dat ook de beide huiveringwekkende gebeurtenissen uit de kindertijd van Jezus voorstelt: de kindermoord door Herodus en de vlucht naar Egypte. Ten slotte rechts van het hoofdportaal het Portaal van het Geloof met passende bijbeltaferelen, bijvoorbeeld de openbaring van de engel.

Dat deze optimistische motieven juist in de hoofdfaçade zijn aangebracht heeft een symbolische grond. 'Ex oriente lux' - uit het oosten komt het licht, het heil, terwijl de lijdensgeschiedenis op de tegenovergelegen westzijde wordt voorgesteld, de zijde waar de zon ondergaat.

Het licht, dat bij Gaudí's wereldlijke bouwwerken een grote rol speelt, wordt hier symbolisch gebruikt. Dat geldt ook voor de hemelgerichte hoofdportalen. De ontworpen, allesoverheersende hoofdtoren, die Christus symboliseert, zou 's nachts door grote schijnwerpers uit de twaalf 'aposteltorens' bestraald moeten worden. Tegelijk moest vanuit het kruis bovenop de hoofdtoren een sterk schijnwerperlicht over de stad, op de mensheid stralen om zo de woorden van Christus vorm te geven: "Ik ben het Licht".

Ook in de kleuren is de symboliek terug te vinden. Zo had Gaudí voor het Portaal van de Hoop de kleur groen uitgekozen. De oostfaçade, met

de vreugdevolle thema's, moest helemaal helder en kleurig worden, terwijl de Passiefaçade donker moest worden. Hij wilde de stenen in ieder geval niet in hun natuurlijke kleur laten.

Gaudí haatte eenkleurigheid; hij vond dit onnatuurlijk. In de natuur, zei hij dikwijls, zien we nooit iets wat maar één of een volkomen gelijkmatige kleur heeft. Er zouden altijd min of meer duidelijke kleurcontrasten te zien zijn. Voor Gaudí, die zich in de loop van zijn leven steeds sterker tot de leermeester natuur voelde aangetrokken, bleek daaruit dat juist de architect alle elementen van de architectuur geheel of minstens gedeeltelijk in kleur moest maken. Het aanbrengen van kleuren blijft, tenminste voorlopig, een toekomstdroom, net zoals de misschien belangrijkste façade, de Gloriefaçade in het zuiden, waar een breed bordes voor moest komen. Het thema: dood en hel, de zondeval, het daaruit voortkomende harde leven van de mens en ten slotte het Credo, dat de eerste stap is op weg naar de Verlossing. Het Credo zou, zoals vaker bij Gaudí, niet in beelden maar in de vorm van letters verschijnen. Het zou in glanzende letters tussen de klokkentorens moeten oplichten. Dat is ook al in de nu voltooide delen van de kerk te vinden. "Sanctus, Sanctus, Sanctus" leest men op de klokketorens van de oostfaçade. Het is als een gejubel over het pad naar de hemel. Gaudí had altijd al graag letters of hele woorden in zijn bouwwerken geïntegreerd, het meeste in het Park Güell. In de Sagrada Familia hebben de letters vooral symbolische functies, ze moeten steeds weer op de wezenlijke betekenis van de kerk wijzen, die meer is dan een godshuis: eigenlijk is ze een kunstwerk of een beeldhouwwerk.

Men weet dikwijls niet waar het ene beeldhouwwerk begint en het andere ophoudt. Net zoals bij de façade van het Casa Milà lijkt de façade van de Sagrada Familia niet uit stenen opgebouwd; men krijgt de indruk dat hier een beeldhouwer aan het werk is geweest, die met zijn handen uit zacht materiaal - was of klei - de talrijke ornamenten heeft gekneed, die dikwijls de bijbelse taferelen omlijsten.

De letters benadrukken de taferelen. Steeds weer ziet men in de vensters van de koornis de anagrammen van Jezus, Maria en Jozef. In tegenstelling tot de meeste bijbelse voorstellingen neemt Jozef hier een vooraanstaande positie in. Dat is bewust gedaan omdat de bouw van de kerk door de 'Vereniging van vereerders van de heilige Jozef' werd begonnen. De hoofdkapel in de crypte is aan hem gewijd. Zijn beeltenis bevindt zich in

Bladzijde 202: Maria en Jozef vereren het kindje Jezus. Voorstelling in het Portaal van de Liefde.

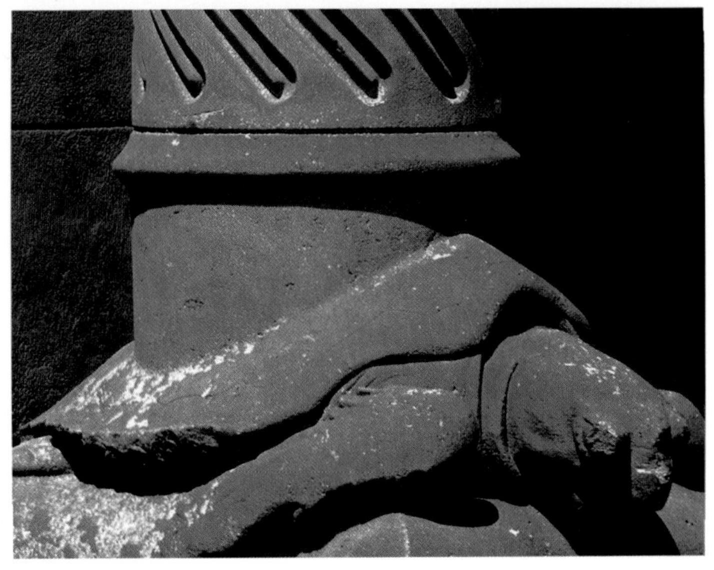

Onder: sculptuur van een slak (links). Fundament van een zuil naast het Portaal van de Liefde. Hier is een schilpad voorgesteld (rechts).

Bladzijde 205: op de voorgrond van dit tafereel in het Portaal van het Geloof is Jezus als timmerman te zien.

Bladzijde 206/207: torens van de koornis en een provisorisch altaar. De onderaardse crypte is al klaar.

het hoofdportaal van de oostfaçade. De regelmatig opduikende bij kan gezien worden als symbool voor de ijver van de arbeiders. In deze kerk zijn echter nog duidelijkere aanwijzingen te vinden voor de vooraanstaande rol die Jozef hier krijgt. Zijn werktuigen worden steeds weer afgebeeld. Op een grote voorstelling zien we Jezus, die het beroep van zijn 'pleegvader' uitoefent - met een beitel in zijn hand. In de scène, waarin Jozef en Maria hun zoon zoeken, die bij de schriftgeleerden in de tempel zit, gaat in Gaudí's afbeelding Jozef voorop - geheel in tegenstelling tot de anders gebruikelijke afbeeldingen, waarin Maria vooropgaat. Ten slotte wordt Jozef ook nog als beschermheer van de kerk voorgesteld: hij voert als stuurman het schip (de kerk) door alle gevaren heen.

Bij al deze beelden en symbolen, die van de kerk - tenminste van de façade - een 'beeld' van grote zeggingskracht maken, mogen we de grote bouwmeester Gaudí niet vergeten. De weelderige vormgeving van de oostfaçade doet ons bijna vergeten dat Gaudí met de Sagrada Familia een imposant architectonisch werk heeft gemaakt, waaruit zijn verbondenheid met de traditie, maar ook zijn eigen stijl blijkt.

De plattegrond van de kerk volgt de grote voorbeelden uit de gotiek: de Sagrada Familia was ontworpen als basiliek, bestaande uit vijf schepen met een dwarsschip dat uit drie beuken zou bestaan (de drie portalen aan de oost- en aan de westfaçade geven toegang tot de drie dwarsbeuken). De plattegrond heeft dus de vorm van een kruis.

Onder: voorstelling van de vlucht naar Egypte in het Portaal van de Hoop, een werk van Lorenzo Matamala (links). Sculptuur naast het Portaal van de Liefde, waarin huisdieren en planten uit het Heilige Land zijn afgebeeld (rechts).

Het hoofdschip moest met inbegrip van de koornis 95 meter, het dwarsschip 60 meter lang worden. Dit komt overeen met de grootte van de Dom van Keulen (waarover Gaudí zich positief heeft geuit). Bij zulke dimensies worden echter de bouwtechnische problemen duidelijk. In de Dom van Keulen is gebruik gemaakt van reusachtige pilaren en luchtbo-

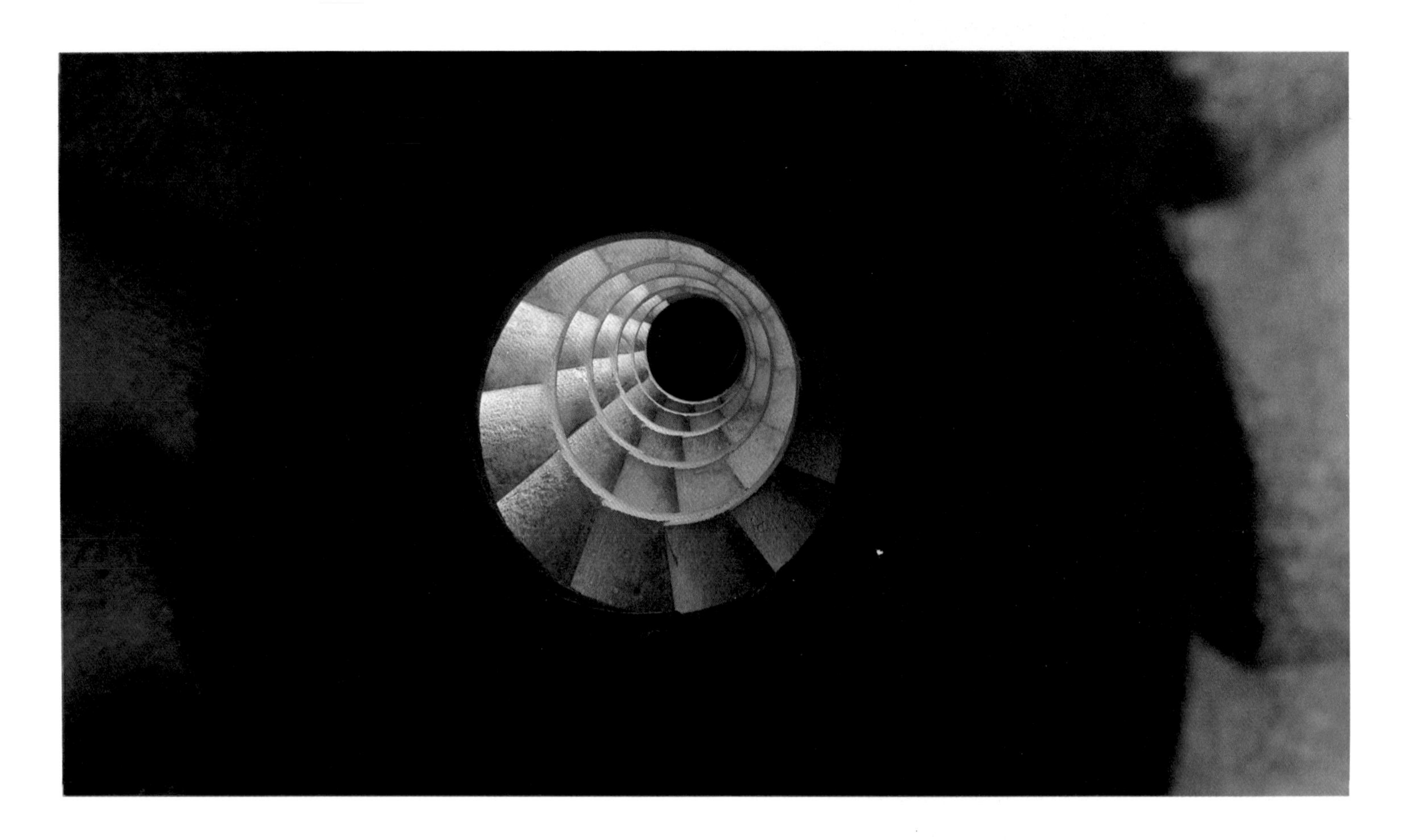

Blik van onderaf op de wenteltrap van een toren. In het midden van de spiraal werd een ruimte voor een cilindervormige klok vrijgelaten.

gen - de 'krukken' dus, die Gaudí aan de gotiek niet bevielen. Hij doet het zonder deze hulpmiddelen.

De Sagrada Familia is het beste voorbeeld van Gaudí's fundamentele ontdekking dat de combinatie van paraboolbogen en scheve pilaren de zware druk van grote gewelven aankan. In kleinere vorm had hij dat al in het Colegio Teresiano en in de ruiterhal van het Park Güell laten zien, en eigenlijk ook al in de fabriekshal van Mataró. In de Sagrada Familia combineerde hij dit bouwprincipe met de kennis die hij uit de natuur had opgedaan. Wat de draagkracht betreft was de eucalyptusboom zijn voorbeeld. Het is dus geen wonder dat de zuilenconstructie in het hoofdschip op een woud van steen lijkt. Het lijkt alsof die scheve zuilen het gewicht niet aankunnen, maar Gaudí's constructies hebben zich bewezen. Het stumperwerk van zijn opvolger bij het bisschopspaleis van Astorga heeft aangetoond wat er gebeurt wanneer men van Gaudí's zorgvuldig bestudeerde en in model uitgeprobeerde constructie afwijkt.

Zijn eigenzinnige zuilenconstructie heeft nog een verbazingwekkende bijwerking. De zo geconstrueerde schepen van de kerk hebben een bijna etherisch lichte uitwerking. Het lijkt alsof de pilaren geen last te dragen hebben. Gaudí zelf zei daarover dat bij hem de klassieke tegenstelling tussen druk en draagkracht was opgeheven. Een zuil in de oostfaçade werkt als illustratie van deze theoretische formulering: de basis van de zuil bestaat uit twee grote schildpadden. De zuil lijkt uit het schild te groeien en dus omhoog te willen, hoewel deze het dier toch eigenlijk zou moeten verpletteren. Zelden ziet men een architectonische theorie op een dergelijke plastische manier uitgebeeld.

De prestatie van bouwmeester Gaudí geeft echter ook aanleiding tot scepsis. Er is nauwelijks een architect geweest die zich zozeer bezighield met alle werkzaamheden op de bouwplaats als Gaudí. In zijn laatste jaren leefde hij zelfs in een kleine werkruimte op de bouwplaats. Hij was overal te vinden en hield zich met de kleinste bouwtechnische problemen bezig. Hij heeft wel modellen van de voltooide kerk nagelaten, maar het is de vraag of de bouw zonder hem ooit afgemaakt kan worden.

Zelfs een vriend van Gaudí, César Martinell, liet zich sceptisch, alhoewel met wat humor, over dit probleem uit. Hij zei dat de kerk als onvoltooid werd gezien, maar dat dat nog optimistisch was omdat Gaudí geen enkele façade zelf heeft afgemaakt. De voltooiing is in de verste verten nog niet te verwachten.

Daarmee heeft hij niet overdreven. De bouwwerkzaamheden na de dood van Gaudí lijken daar wel op te wijzen. De oostfaçade is nu weliswaar voltooid, maar men kan nog lang niet van een kerk spreken. Ook de westfaçade heeft intussen volgens de plannen en modellen van Gaudí gestalte gekregen. Maar het werk daaraan heeft de laatste dertig jaar in beslag genomen. Steeds weer wordt een nieuw stukje ingewijd.

Daarom kan men zich misschien wel de vraag stellen of het werk aan de kerk eigenlijk wel voortgezet moet worden. Al tijdens het leven van Gaudí was er kritiek op het bouwwerk, maar hij had zijn beeld nog voor ogen en kon nog persoonlijk overtuigen. Argumenten tegen de voltooiing zijn de inmense kosten (al in 1914, toen Gaudí er middenin zat, waren er meer dan 3 miljoen pesetas aan besteed) en het feit dat er meer onvoltooide werken van Gaudí zijn. Het is bijna karakteristiek voor deze architect dat hij zijn werk niet voltooid heeft. Maar dit past niet bij de uitspraak van Gaudí dat de Sagrada Familia de eerste in een rij van nieuwe kathedralen zou zijn. Dat is een verplichting - net als het feit dat de Sagrada Familia tot symbool van Barcelona is geworden.

Al toen de eerste klokkentorens vorm en hoogte kregen, identificeerden de inwoners van de stad zich met 'hun' kerk. In ieder geval rijzen de torens

Bladzijde 210/211: binnenkant van de oostfaçade (blz. 210). Bovenste deel van de torens van de oostfaçade met het opschrift "Hosanna in Excelsis" (blz. 211 linksboven). Binnenkant van de oostfaçade (blz. 211 rechtsboven). Blik van onderaf op de oostfaçade (blz. 211 onder).

Duizelingwekkende blik van bovenaf op de wenteltrap van een toren.

HOSANNA

Voorbeeld van Gaudí's fantasie bij de vormgeving van de torenspitsen.

hoog boven de stad uit (de middelste torens zijn meer dan 100 meter hoog; de geplande hoofdtoren moet 170 meter hoog worden). En ten slotte heeft Gaudí zich met zijn werk aan de kerk bewust in de rijen van de middeleeuwse kathedraalbouwers geplaatst. Ook toen was een kathedraal het werk van meerdere generaties. Gaudí heeft zijn stad een grote erfenis nagelaten die niet zonder problemen is.

Toch heeft deze rompachtige toestand van de kerk nog een voordeel: daardoor is een kleine kostbaarheid van Gaudi nog voor ons bewaard gebleven. De kerk moest het middelpunt worden van een kleine 'gemeenschap' van werkplaatsen en scholen. Er werd een schoolgebouw gebouwd. Volgens Gaudí moest deze afgebroken worden, zodra de plaats voor de hoofdkerk nodig zou zijn. De stand van de bouw is duidelijk af te meten aan het feit dat de school er nog altijd staat. Van buiten lijkt het bouwwerk onopvallend, maar het toont aan hoe praktisch Gaudí was.

De gevel en het dak doen een beetje denken aan het Casa Milà, want

ook dit schoolgebouw laat een soort organische vormgeving zien. Maar naast het esthetische aspect had dit vooral praktische voordelen. Gaudí maakte het gebouw van eenvoudige materialen, zoals de door hem graag gebruikte bakstenen. Door de golvende structuur wordt de gevel draagkrachtiger en ook het in een sinuskromme uitgevoerde dak heeft op zich al een bepaalde stevigheid. Le Corbusier was zo onder de indruk van deze constructie dat hij er onmiddellijk een schets van wilde hebben. Het gebouw wordt door twee binnenmuren, die geen draagfunctie hoeven te hebben, in drie schoolruimten verdeeld, waarbij de wanden - naar behoefte - zonder veel moeite verplaatst kunnen worden. Deze functionaliteit maakt van de onwaarschijnlijk lijkende vorm een klein meesterwerk.

Dit bovendeel van het Portaal van de Liefde stelt een cypres voor. Deze boom is wegens zijn houdbare hout en zijn altijd groene twijgen het zinnebeeld van de onvergankelijkheid (links). Torenspits van de oostfaçade (rechts).

Bladzijde 214/215: het schoolgebouw van de Sagrada Familia.

OVERIGE WERKEN

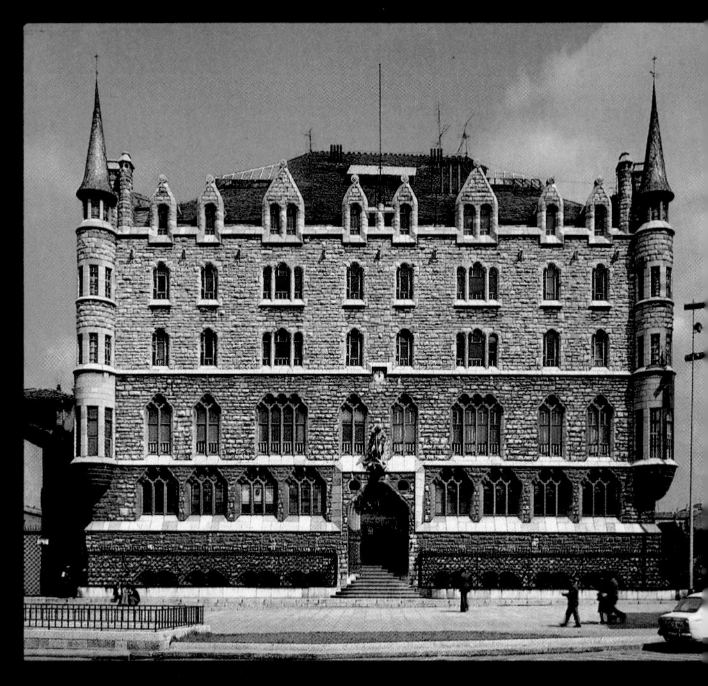

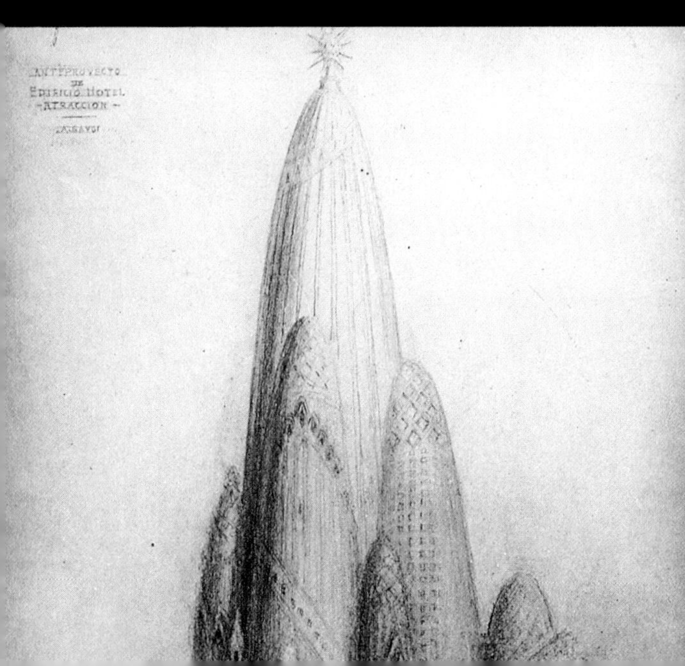
ANTEPROYECTO
EDIFICIO HOTEL
ATRACCION

Bladzijde 217 (van linksboven naar rechtsonder): poort van het landgoed Miralles, kathedraal van Majorca, bisschoppelijk paleis in Astorga, Casa de los Botines, ontwerp voor een hotel in New York, Bodegas Güell.

Onder: poort van de Finca Miralles op de Passeig de Manuel Girona.

Finca Miralles

Tijdens de bouwwerkzaamheden van zijn eerste grote woonhuis - het Casa Calvet - nam Gaudí nog wat kleinere opdrachten van minder groot belang aan. Eigenlijk is alleen maar de poort voor het geplande huis van zijn vriend, de fabrikant Hermenegild Miralles interessant, omdat deze in contrast staat tot de eerder wat strenge vormen van het Casa Calvet. In vele opzichten duidt hij al op de vormen die Gaudí bij zijn latere niet kerkelijke bouwwerken, het Casa Batlló en het Casa Milà, zou gaan ontwikkelen.

Wanneer men voor dit bouwsel staat - we kunnen het nauwelijks anders noemen -, rijst onmiddellijk de vraag hoe het überhaupt mogelijk

Muur bij de ingang naar de Finca Miralles. De vormgeving van de muur herinnert aan de bewegingen van een zeeslang.

is, dat het overeind blijft staan. Als een wonderlijke schelp stijgt de muur in veel krommingen en bochten uit de grond. De buitencontouren van de poort volgen daarbij de vorm van de poort zelf, maar aan de rechterkant springt er ineens een wilde uitstulping uit, waarbij er een soort zuil ontstaat waar men later het wapen en een aangrenzende deur met ijzeren tralies zal inzetten. Het bouwsel had enkele tientallen jaren later net zo goed door Salvador Dali uitgevonden kunnen worden, maar - en dat kwam niet zelden voor - Gaudí liep ook hier op het surrealisme vooruit. Boven de schelpenpoort van grof natuursteen construeerde de architect een hoekig dak dat vooruitsteekt en waar men de verbindingsconstructie duidelijk kan herkennen. Dit driehoekige zonnedak vormt een uitzondering in Gaudí's constructies; we zouden het ons als ingangspoort van het Casa Milà kunnen voorstellen. Oorspronkelijk was deze poort ingebouwd in de muur die rond het perceel leidde. Tegenwoordig staat hij echter midden-in een nieuwbouwwijk. Er zijn plannen om de poort spoedig van deze plaats weg te halen en in het Park Güell te plaatsen.

Bisschop Campins i Barceló, die de opdracht tot restauratie van de kathedraal gaf.

De kathedraal van Palma

De nog jonge bisschop Campins i Barceló van Palma de Mallorca leerde Gaudí kennen op het bouwterrein van de Sagrada Familia in 1899. Een drie uur durend gesprek met Gaudí fascineerde hem, niet in de eerste plaats vanwege diens architectonische bekwaamheden maar veeleer vanwege de grote kennis van de kerkelijke liturgie die Gaudí toonde en waarvan de bisschop al op de hoogte was tijdens lange gesprekken met de bisschop van Astorga. Campins had grote plannen; hij wilde de kathedraal van binnen veranderen en de kerk meer volgens haar oorspronkelijke karakter benaderen. Toen hij een paar jaar later, na zijn eerste bezoek aan Barcelona, op een rondreis meerdere gotische kerken bezichtigde, ontmoette hij Gaudí opnieuw en wijdde hem in zijn plannen in; de toestemming ertoe had hij al van de domheer gekregen.

Gaudí moet door dit project meteen gefascineerd zijn geweest; bovendien was het een grote uitdaging voor hem. Het ging voornamelijk om een nieuwe constructie van het middenschip. Geheel tegen het gotische gebruik in - en de kathedraal van Palma is een meesterwerk in de stijl van de Catalaanse gotiek - stond het koor in het centrum, in het middenschip van de kerk. De bisschop had er geen betere kenner bij kunnen halen. Alhoewel Gaudí slechte ervaringen had gehad met de domheer in Astorga - een ervaring die zich in Palma zou gaan herhalen - reisde hij in 1902 naar Palma om de plaatselijke gesteldheid te bestuderen en meteen een aantal plannen te ontwerpen. Punt een was de verplaatsing van het koor naar het priesterkoor, dicht bij het altaar. Dit kwam overeen met historische voorbeelden, maar was niet eenvoudig, hoewel al aan het eind van de 18e eeuw in de kerk Santa Maria del Mar te Barcelona iets soortgelijks tot stand was gebracht. Dat wil zeggen, dat Gaudí voorbeelden kende. Zijn werk bestond niet alleen maar uit het blootleggen van het middenschip, dat voortaan ruimte voor de kerkgangers zou moeten gaan bieden. Doordat hij een wezenlijk en kenmerkend architectonisch element verplaatste, veranderde ineens de hele compositie van de ruimte. Gaudí breidde het priesterkoor naar voren toe uit en probeerde bovendien de ruimte te vergroten door de wand achter de apsis met metaalachtig glanzende keramiektegels te bekleden. Maar met zijn duidelijke ideeën over de natuurlijke veelkleurigheid stuitte hij op protest van de kerkautoriteiten; alleen Campins stond achter hem. Dat wil zeggen, dat de zaak Astorga zich bijna identiek herhaalde. De kerkautoriteiten dachten aan restauratie in de zin van een herstel van het oude, Gaudí dacht daarentegen veeleer aan een 'reformatie' in de geest van de kathedraal. Hij verwijderde het barokaltaar uit de 18e eeuw en legde op die manier - wel met toestemming van de domheer - het oude gotische altaar, dat in 1346 was ingewijd, vrij.

Door het hoofdschip van het koor te ontdoen verkreeg Gaudí vooral een grotere ruimtewerking. Met lampen en een paar baldakijnen veranderde hij het historisch gezicht van de kathedraal. Wat het meest in het oog valt is de nieuwe vormgeving van de altaarruimte. Een grote zevenhoekige baldakijn zou de oude, eenvoudige, vierhoekige vervangen en boven het altaar komen te hangen. Gaudí ontwierp een ingewikkeld spel met symbolische verwijzingen: de zeven hoeken symboliseren de zeven giften van de Heilige Geest; de 50 lampen (7 x 7 + 1) moesten herinneren aan het pinksterfeest. Daarop zouden sculpturen van Christus aan het kruis, Maria en de Heilige Johannes volgen, die op de verlossing moesten wijzen. Ook had Gaudí aan prachtige lampen met elektrische belichting en veel gekleurd glas gedacht. In deze zin werd uiteindelijk maar een klein gedeelte van deze baldakijn gerealiseerd. De moeilijkheden met de autoriteiten werden groter en Gaudí's hervormingsplannen voor de kerk gingen de geestelijken te ver; Gaudí was te creatief. Als Gaudí zijn project voltooid zou hebben, zou hij zonder twijfel zijn eigen architectonische stijl - en dat zeker tot voordeel van de kathedraal - opgelegd hebben, maar zo bleef het bij details van zijn kunst. Daarbij wilde hij nog talrijke plastische versieringen door middel van sculpturen aanbrengen; het werk aan de Sagrada Familia klinkt hier duidelijk door.

In 1914 gaf Gaudí zijn werk aan de kathedraal op. Misschien speelden de ervaringen in Palma een rol bij zijn besluit om opdrachten zoals deze voortaan niet meer aan te nemen, maar al zijn energie aan de Sagrada Familia te gaan wijden. Misschien ontdekte hij ook juist bij deze kathedraal, hoe moeilijk het voor hem was om te voorkomen dat een aanvankelijk niet zo groot werk door zijn drang tot perfectie tot een haast onvoltooibaar project te maken.

Baldakijn boven het hoofdaltaar in de door Gaudí gerestaureerde kathedraal van Palma.

Het bisschoppelijk paleis van Astorga

Als er één gebouw van Gaudí is, waarop de term neogotisch van toepassing is, is het het bisschoppelijk paleis in Astorga in de buurt van de stad León. Het oude paleis was bij een grote brand verwoest. In 1887 gaf de bisschop, Juan Bautista Grau i Vallespinós, Gaudí opdracht een nieuw paleis te ontwerpen. Grau was net als Gaudí Catalaan. Voor zijn benoeming tot bisschop was hij als vicaris-generaal van het bisdom Tarragona werkzaam geweest. Deze opdracht kwam Gaudí niet echt goed uit; hij was druk bezig met het ontwerp voor de Sagrada Familia en werkte ook aan het Palacio Güell. Toch vatte hij die taak niet licht op. Hij liet nauwkeurige plattegronden van het terrein en foto's van de omgeving komen. Vooral de foto's waren van wezenlijke invloed op de vormgeving. De bisschop was verrukt over zijn plannen. De academie van San Fernando daarentegen, die toestemming voor het project moest geven, was minder enthousiast. Hier tekende zich al de problematische bouwsituatie af, die ertoe leidde

Voorgevel van het bisschoppelijk paleis in Astorga. De engelen aan weerszijden zouden oorspronkelijk op het dak komen te staan.

1. Plattegrond van de eerste verdieping (hoofdverdieping)
2. Plattegrond van de dakverdieping
3. Zuidoostelijke gevel
4. Dwarsdoorsnede

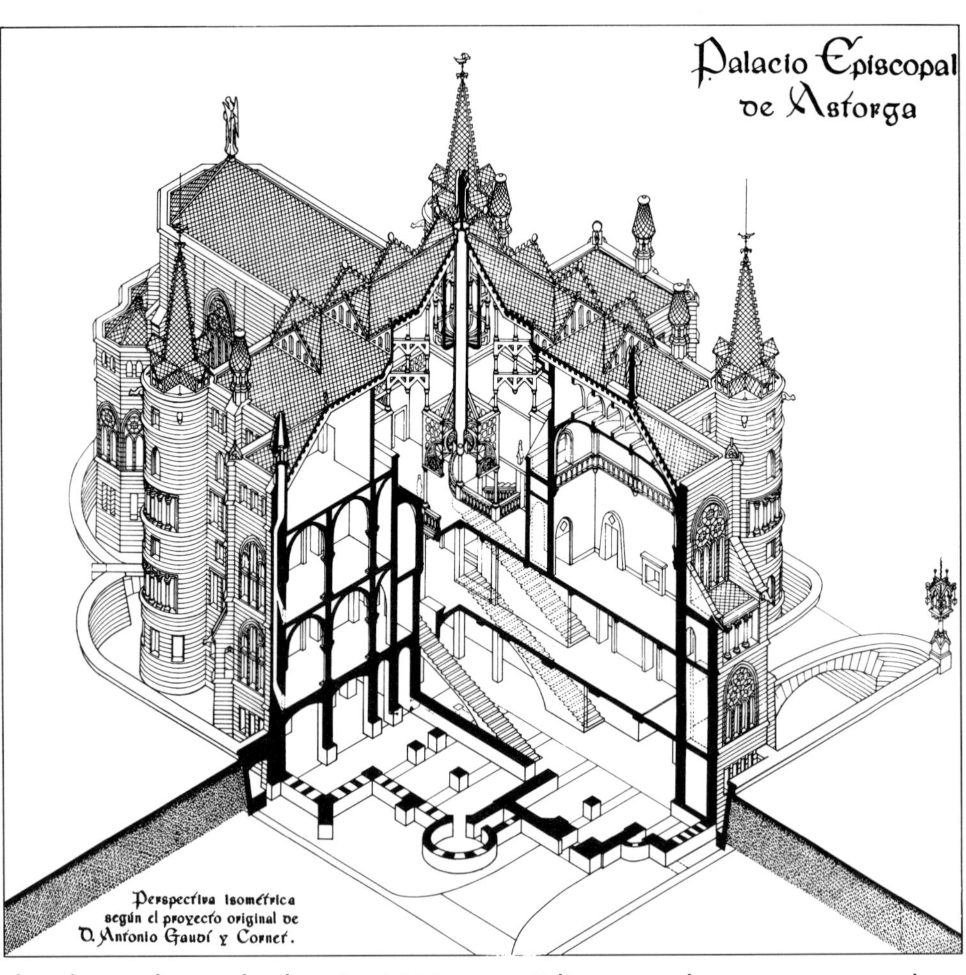

Een ontwerp in perspectief van Gaudí op de juiste schaal.

dat de werkzaamheden in 1893 voortijdig gestaakt moesten worden. Zolang zijn weldoener, de bisschop, nog in leven was, was hij in hoge mate vrij in zijn doen en laten, nadat hij op verzoek van de academie zijn plannen twee keer had gewijzigd. Geheel in tegenstelling tot zijn latere manier van werken, zorgde hij hier voor gedetailleerde tekeningen, niet in de laatste plaats om tegen de te verwachten kritiek gewapend te zijn.

Gezien de functie van het gebouw oriënteerde hij zich vooral op de door Viollet-le-Duc gepropageerde neogotiek. Deze had in zijn geschriften gepleit voor een nauwkeurige studie van de oorspronkelijke gotiek als basis voor de moderne architectuur, maar tegelijkertijd gewaarschuwd voor een slaafse imitatie.

Gaudí hield zich nauwgezet aan dit programma. Hij oriënteerde zich zelfs zo sterk op de historische voorbeelden, dat hij bij de kapitelen van de zuilen in het hoofdschip aanwijsbaar op de Franse gotiek teruggreep: de achtpuntige stenen sterren zijn geheel en al ontleend aan de Sainte Chapelle in Parijs. Maar voor de rest is de 'gotiek' van het gebouw meer van intuïtieve aard. De ronde torens hebben bovendien meer weg van een kasteel dan van een sacraal bouwwerk. De opvallende ingang heeft weliswaar monumentale bogen, maar deze wijzen niet naar boven maar lijken afgeplat. Ook de ramen zijn minder spits. Alleen de - dankzij veel ramen - buitengewoon lichte eetzaal op de eerste verdieping heeft overwegend gotische kenmerken. Desondanks beschouwen enkele critici dit bisschoppelijk paleis als typisch voorbeeld voor de Spaanse neogotiek .

Anders dan bij zijn andere gebouwen gebruikte Gaudí voor de voorgevel wit graniet. Op de eerste plaats moest het materiaal optisch overkomen, maar voor Gaudí had het ook een geestelijke functie: het bisschopspaleis moest op het wit van de bisschopskleren lijken. Zelfs het dak zou wit worden, maar zover kwam het niet meer. Voor de voltooiing van de werkzaamheden overleed bisschop Grau. Het bestuur van het diocees was van begin af aan niet bijzonder enthousiast over Gaudí's plannen en probeerde zich met de architect te bemoeien; reden genoeg voor Gaudí om het werk verontwaardigd neer te leggen. Hij schijnt zelfs van plan geweest te zijn de bouwtekeningen te verbranden, want het gebouw mocht niet volgens zijn wens voltooid worden. Ook legde hij een eed af, dat hij nooit meer naar Astorga zou komen. Zo duurde het een tijd voordat het paleis werd afgemaakt. De hem opvolgende architecten weken van zijn constructie af, wat ertoe leidde dat het bouwwerk tijdens het bouwen een paar keer instortte. Pas in 1961 was het bisschoppelijk paleis gereed om te betrekken.

Eetzaal op de eerste verdieping van het bisschoppelijk paleis in Astorga.

Casa de los Botines

Omdat Gaudí inmiddels over persoonlijke relaties beschikte, kreeg hij de ene opdracht na de andere. Hij was druk bezig met het bisschoppelijk paleis in Astorga (waarbij de eerste problemen met het diocees al merkbaar waren), toen hij alweer een nieuwe opdracht kreeg in León. Twee bouwwerken van Gaudí in deze relatief kleine stad is veel. León telde aan het eind van de 19de eeuw nauwelijks 16.000 inwoners en was nu niet een pronkjuweel van architectonische fantasie. Alleen een paar grote gebouwen uit het verleden hielden de stand op: de kathedraal, waaraan van de 13de tot de 15de eeuw was gebouwd, het grote klooster van St. Marcos en het wat nuchtere paleis uit de Renaissance.

Gaudí had hier geen gelukkige hand. Zijn constructie van het fundament was niet in overeenstemming met de in de stad heersende bouwstijl. Men klaagde dan ook over het ontbreken van pilaren en toen Gaudí op de eerste verdieping de installaties aanbracht waarop de hoektorens, die als versiering aan weerszijden gepland waren, zouden komen te staan, vreesde men algemeen dat het Casa de los Botines (genoemd naar de vader van de heer des huizes, Joan Homs i Botinàs) zou omvallen. Maar ondanks sombere voorspellingen bleef het gebouw overeind en vertoont ook heden ten dage geen ouderdomsverschijnselen; tegenwoordig is het een bankgebouw.

Gaudí was niet geheel onschuldig aan de koele houding van de bevolking; hij had zich nooit onder het volk begeven en uitsluitend met de bisschop gesproken. Hij had zijn anticlericale houding intussen opgegeven; de lange gesprekken met de bisschop van Astorga hadden hun invloed op hem gehad. De voormalige dandy leek in een asceet te zijn veranderd; hij had zijn baard en zijn lange haar kort geknipt.

Gaudí's opdrachtgevers, de gebroeders Fernández - het gebouw wordt ook wel Casa Fernández genoemd - wilden in eerste instantie een handelsfirma met op de bovenste verdiepingen een paar huurwoningen. Gaudí hield zich strikt aan de functies van het huis; magazijnen in het souterrain

Voorgevel van het Casa de los Botines. [...] tekening van Gaudí was van een ongebruike[...] lijke precisie. Er staan de handtekeningen v[...] Gaudí en de opdrachtgever onder.

Voorgevel van het Casa de los Botines; vergeleken met de andere, prachtig versierde gebouwen van Gaudí maakt dit gebouw een spartaanse indruk.

en daarboven kantoren. De eerste etages hebben geen draagmuren, een voorbode van Gaudí's latere constructies. Het gebouw dat Gaudí schiep en dat slechts weinig versierende elementen heeft, maakt een spartaanse indruk. Het staat als een grote steenmassa middenin de stad op het centrale Plaza de San Marcelo. Als contrast met de massieve basisvorm maakte Gaudí, zij het spaarzaam, gebruik van neogotische elementen. De ramen zijn meestal driedelig en lijken daardoor breed. Ze zijn aan de bovenkant afgerond. Alleen de talrijke erkers die op de dakrand verrijzen hebben de typisch gotische spitse vormen. Desondanks behoort het gebouw zonder twijfel tot de drie gotisch geïnspireerde gebouwen van Gaudí en staat dus op één lijn met het bisschoppelijk paleis in Astorga en het Colegio Teresiano. Ook nu nog verheft het zich boven het stadsbeeld, maar kennelijk zijn de bewoners er intussen aan gewend geraakt. Boven het toegangsportaal installeerde Gaudí een beeld van de Heilige Sint Joris, de drakendoder. Toen men in 1950 dit beeld wilde verwijderen stak er een storm van protest op. Het beeld bleef staan. Zoveel respect heeft de Catalaanse architect vandaag de dag afgedwongen.

Ontwerpen voor een hotel in New York

Kort voor de voltooiing van het Casa Milà was er alweer een nieuw project dat hem vooral vanwege de grootse dimensies moest fascineren. In 1908 was een Amerikaanse zakenman dermate enthousiast geraakt over Gaudí's gedurfde architectuur, dat hij hem vroeg in New York een reusachtig hotel te bouwen. Het project kwam nooit verder dan een reeks bouwtekeningen in de voor deze jaren typische Gaudí-stijl. Toch zeggen ze veel over Gaudí's ideeën in de jaren dat hij zich met toenemende intensiviteit aan de bouw van de Sagrada Familia wijdde. Had men dit project gerealiseerd, dan was New York een soort hoteltempel rijker geweest. Gaudí ontwierp een gebouw van ca 300 meter hoogte (meer dan 2x zo hoog als de grote toren van de Sagrada Familia moest worden). Vanuit een ronde omtrek moest als een gigantische spil een centrale toren in de bekende paraboolvorm verrijzen, waaromheen Gaudí nog andere, steil oplopende koepelvormige gebouwen wilde groeperen - een grandioos symbool van de Amerikaanse Droom.

Rechts en blz. 229: ontwerpen voor een hotelgebouw in New York.

Onder: in 1892 ontwierp Gaudí voor de katholieke missie in Tanger een gebouw met torens - net als bij het geplande hotel in New York - die in grote lijnen vooruitlopen op de klokkentorens van de Sagrada Familia.

De Bodegas Güell staan op een heuvel, die een heerlijk uitzicht biedt op de Middellandse Zee. Het gebouw werd lange tijd toegeschreven aan Gaudí's vriend, de architect Francesc Berenguer i Mestres; maar vermoedelijk hebben Gaudí en Berenguer hier samengewerkt.

De Bodegas Güell

De bodegas (wijnkelders), die Gaudí voor zijn begunstiger Eusebi Güell in Garraf in de buurt van Sitges bouwde, werden in de regel in de literatuur niet vermeld omdat men ze lange tijd toeschreef aan Gaudí's vriend, de architect Francesc Berenguer i Mestres. En inderdaad, het gebouw lijkt op het eerste gezicht niet een typisch Gaudí-gebouw, hoewel de combinatie van natuursteen en baksteen overeenkomsten vertoont met zijn bouwwerken uit de tachtiger en negentiger jaren. Gaudí gebruikte de steencombinatie slechts als ornamentele versiering voor zijn huizen. De wijnkelders bestaan uit een reeks buitengewoon verschillende architectonische elementen: boven de werkelijke wijnkelders bevindt zich een etage met woonruimten en daarboven een kapel. Wat de vorm betreft past dit gebouw niet bij Gaudí's werken; ook bij de fantasierijke, Moors geïnspireerde vroege fase vinden we niet iets wat erop lijkt. Toch zien we overal Gaudiaanse structuren; bijvoorbeeld de paraboolvormige boog - als modern aandoende vensterboog, als inrit en ten slotte als brug, die naar de middeleeuwse toren leidt.

Ook het dak vertoont Gaudí's handschrift, minder in de vormgeving van het oppervlak dan in de structuur. Gaudí zei dat de daken van zijn huizen tegelijk 'parasol en hoed' moesten zijn - een principe dat bij het Casa Batlló werd toegepast. Bij de Bodegas ging hij nog een stap verder. Hij concipieerde het hele gebouw vanuit de overhangende vorm van het dak, dat aan de ene kant bijna de grond raakt. Het gebouw kreeg daardoor het karakter van een tent. Het is zelfs met een pagode uit het Verre Oosten vergeleken.

Ook het bijbehorende portiershuisje vertoont een typisch Gaudiaanse eigenaardigheid. Het poortgewelf van de ingang wordt gesloten door een poort van ijzeren kettingen; hoewel deze poort minder groot is dan de drakenpoort op het landgoed van de familie Güell, heeft hij toch een behoorlijke afmeting en is op dezelfde manier alleen maar aan één kant bevestigd, die hoger is dan de andere kant. De basisvorm van deze poort komt ook overeen met die van de drakenpoort.

Ingangspaviljoen van de Bodegas Güell. Portiershuisje en poort vormen een eenheid.

Antoni Gaudí 1852-1926
Leven en werk

1852 Gaudí wordt op 25 juni in Reus, in de buurt van Tarragona geboren. Zijn ouders zijn: Francesc Gaudí i Serra en Antònia Cornet i Bertran.

1863-1868 Gymnasiumtijd in de kloosterschool van de paters Escolapios in Reus.

1867 Gaudí publiceert voor het eerst tekeningen in de krant 'El Arlequín' in Reus, die in handgeschreven vorm verspreid werd (met een oplage van 12 exemplaren). Gaudí tekent het decor voor uitvoeringen van het schooltheater.

Gaudí's ouderlijk huis in Riudoms (Tarragona).

1869-1874 Gaudí bezoekt de voorbereidingcursus aan de natuurwetenschappelijke faculteit van de universiteit van Barcelona.

1870 In verband met restauratieprojecten voor het klooster Poblet ontwerpt Gaudí het wapen voor de abt van het klooster.

1873-1877 Architectuurstudie aan de Escola Provincial d'Arquitectura in Barcelona. Tijdens de studie maakt hij vele ontwerpen; onder andere een poort voor een kerkhof, een ziekenhuis in Barcelona en een aanlegsteiger.
Om geld te verdienen werkt Gaudí tijdens zijn studie op verschillende architectenbureaus, onder andere bij Josep Fontseré en Francisco de Paula de Villar, die later de bouw van de Sagrada Familia zou beginnen. Samen met Villar werkt Gaudí aan projecten voor het klooster Montserrat.

1876 Gaudí's moeder overlijdt.

1878 Kort voor het eind van zijn studie krijgt Gaudí zijn eerste, openbare opdracht. Voor de stad Barcelona moet hij een straatlantaarn ontwerpen. In 1879 werden de eerste lantaarns geplaatst.

Op de Academie der Schone Kunsten volgde Gaudí zijn opleiding.

Ontwerp voor een affiche voor de Cooperativa Mataronense.

Op 15 maart behaalt Gaudí zijn architectuurdiploma. Voor de handschoenenhandelaar Esteve Comella ontwerpt Gaudí een etalage. Eusebi Güell wordt door de vorm van het raam op Gaudí attent gemaakt.
Gaudí werkt tegelijkertijd aan het project voor een arbeiderswijk in Mataró. Het project wordt in 1878 tijdens de wereldtentoonstelling in Barcelona tentoongesteld. Na zijn studie gaat Gaudí op excursie met de Asociación de Arquitectura de Cataluña en de Asociación Catalanista d'Excursions Científiques om oude bouwwerken te bestuderen. Van Manuel Vicens i Montaner krijgt Gaudí de opdracht een woonhuis te bouwen.

1879 Gaudí's zuster Rosita Gaudí de Egea overlijdt.

1881 Gaudí publiceert een artikel over een kunstnijverheidstentoonstelling in de krant La Renaixença, de enige journalistieke publikatie van Gaudí.
In de boekdrukkerij Jepús wordt het inmiddels ontstane ontwerp voor de arbeiderswijk Mataró gedrukt en door Gaudí gesigneerd.

1882 Gaudí werkt nauw samen met de architect Joan Martell en komt via hem in contact met de neogotische bouwstijl.

1883 Project voor een jachtpaviljoen voor Eusebi Güell in Garraf (in de buurt van Sitges).
Op voorstel van Martorells volgt Gaudí op 3 november Villars op bij de bouw van de Sagrada Familia.

1883-1888 Werkzaamheden aan het Casa Vicens, tegelijk werkt hij aan de bouw voor El Capricho, een landhuis in Comillas (bij Santander) voor Don Máximo Díaz de Quijano. Omdat Gaudí voornamelijk in Barcelona werkt, draagt hij de leiding van de bouwwerkzaamheden over aan de architect Cristófol Cascante i Colom.

1884-1887 Gaudí bouwt op het landgoed van Güell in Les Corts de ingangsvleugel en de stallen. Het is het eerste grote werk voor Güell.

1886-1889 Gaudí bouwt voor Güell een stadspaleis in Barcelona. Tijdens de werkzaamheden reist hij in gezelschap van de tweede markgraaf van Comillas door Andalusië en Marokko - een teken van Gaudí's groeiende roem.

1887-1893 Gaudí bouwt het bisschoppelijk paleis in Astorga.

1888-1889 Gaudí gaat door met de bouw van het Colegio Teresiano.

1891-1892 Bouw van het Casa de los Botines in León. Tegelijkertijd reist Gaudí naar Málaga en Tanger om de bouwplaats voor het geplande project, een Franciscaans klooster, te bezichtigen.

1893 De bisschop van Astorga overlijdt. Gaudí ontwerpt voor zijn beschermer een katafalk voor de begrafenis en een grafsteen; hij stopt met zijn werkzaamheden aan het bisschopspaleis na de dood van de bisschop, omdat er problemen

Een blik in Gaudí's werkplaats bij de Sagrada Familia met talrijke gipsafgietsels.

Foto uit Gaudí's paspoort op de wereldtentoonstelling in Barcelona in 1888.

rijzen tussen hem en het bestuur van het diocees.

1894 Gaudí brengt zichzelf in gevaar door te streng vasten tijdens de vastenperiode. Dit voorval laat zien hoe religieus Gaudí intussen is geworden, terwijl hij vroeger nogal koel tegenover de Kerk stond.

1895-1901 Gaudí werkt met zijn vriend Francesc Berenguer aan een wijnkelder voor Güell in Garraf (in de buurt van Sitges). Later wist men niets meer van Gaudí's medewerking aan dit project.

1898 Gaudí begint met de plannen voor de kerk in de Colònia Güell. De werkzaamheden duren tot 1916 en laten dan toch een onvoltooid werk achter: van de geplande kerk voltooit Gaudí alleen de crypte en het portaal.

1898-1900 Gaudí bouwt het Casa Calvet in Barcelona; hiervoor krijgt hij van de stad Barcelona in 1900 de prijs voor het beste bouwwerk van het jaar. Het is Gaudí's enige openbare onderscheiding.

1900 Gaudí krijgt opdracht om voor het klooster Montserrat in het kader van een groot rozenkransproject het eerste Glorierijke Mysterie van de rozenkrans uit te beelden.

1900-1909 Op het terrein van het voormalige landhuis van Martí I. bouwt Gaudí een landhuis in de stijl van een middeleeuws kasteel voor Maria Sagués. Het ligt op een helling iets buiten Barcelona en krijgt vanwege het mooie uitzicht de naam 'Bellesguard'.

1900-1914 In 1900 begint Gaudí met de werkzaamheden voor het ambitieuze project van Güell; in Gràcia (toen iets buiten Barcelona gelegen) moest een groot woonpark gebouwd worden. Van het oorspronkelijke woonproject komen alleen twee gebouwen bij de ingang van het terrein af. Gaudí werkt tot 1914 aan de ingang, het grote terras en een ingewikkeld net van wegen en straten.

De rouwstoet voor de Sagrada Familia, waar Gaudí begraven werd.

1901 Voor het landgoed van de fabrikant Miralles construeert Gaudí een muur met ingangspoort.

1903-1914 Gaudí restaureert de kathedraal van Palma de Mallorca - een poging om de binnenruimte van de kathedraal in de oude liturgische zin te herstellen.

1904-1906 Gaudí verbouwt het woonhuis voor Josep Batlló in Barcelona. Het resultaat: een volledig revolutionaire nieuwbouw voor die tijd.

1906 Gaudí verhuist naar een van de huizen in het Park Güell om zijn oude vader het traplopen te besparen. Zijn vader overlijdt op 29 oktober van hetzelfde jaar.

1906-1910 Gaudí begint met de bouw van het Casa Milà, zijn grootste woonhuisproject.

1908 Gaudí krijgt de opdracht een hotel in New York te bouwen. Hij komt niet verder dan de bouwtekeningen, die ook hier weer een gedurfde bouwvisie verraden.
In hetzelfde jaar ontwerpt Gaudí een kapel voor het Colegio Teresiano. Het project mislukt vanwege problemen tussen Gaudí en de overste van het klooster.
Hervatting van de werkzaamheden aan de Crypte Colònia Güell in Santa Coloma.

1909 Gaudí bouwt de school van de Sagrada Familia.

1910 In Parijs vindt een tentoonstelling van de Société National de Beaux-Arts plaats, waar talrijke werken van Gaudí tentoongesteld worden. Het is Gaudí's enige tentoonstelling in het buitenland tijdens zijn leven.

Eusebi Güell wordt in de adelstand verheven.

1912 Op 36-jarige leeftijd overlijdt Gaudí's nicht, Rosa Egea i Gaudí.

1914 Gaudí's goede vriend en medewerker Francesc Berenguer i Mestres overlijdt. Met hem heeft Gaudí in Reus het eerste onderwijs genoten bij Berenguers vader. Gaudí besluit om alleen nog maar aan de Sagrada Familia te werken.

1926 Op 7 juli wordt Gaudí tijdens een wandeling door een tram geschept. Hij overlijdt drie dagen later in het Hospital de la Santa Creu in Barcelona.

Gaudí (links) legt aan Eusebi Güell en bisschop Torres i Bages de Sagrada Familia uit.

Bouwgeschiedenis van de Sagrada Familia

1866 Josep Bocabella i Verdaguer sticht de Vereniging van Vereerders van de Heilige Josef.

1875 Het plan van een kathedraal naar voorbeeld van de basiliek van Loreto in Italië neemt vorm aan.

1877 De architect van het diocees, Francisco de Paula de Villar, biedt aan gratis een ontwerp te tekenen.

1882 Op 19 maart wordt volgens de plannen van Villar de eerste steen gelegd.

1883 Op 3 november neemt Gaudí de werkzaamheden als architect van de Sagrada Familia over, nadat Villar zijn ontslag heeft genomen.

1884-1887 Bouw van de crypte.

1885 Inwijding Sint-Josefkapel. 1891-1900 bouw oostfaçade.

1898 Gaudí neemt het besluit om de plattegrond van de klokkentoren aan de oostkant te veranderen. De oorspronkelijk vierkante toren wordt cirkelvormig verder gebouwd.

1900 De versieringen aan de drie portalen van de oostfaçade zijn afgewerkt. De klokkentorens hebben inmiddels een hoogte van 32 meter bereikt.

1906 Van nu af aan gaan de werkzaamheden door geldgebrek moeizaam verder.

1914 Wegens geldgebrek worden de werkzaamheden volledig gestaakt. De bouwkosten bedroegen tot op dat moment 3,3 miljoen pesetas. Gaudí vervaardigt een gipsmodel van de kathedraal.

1918 Gaudí's ontwerp van de Passiegevel (westkant) is klaar.

1925 Op 30 november wordt de aan de Heilige Barnabas gewijde klokkentoren afgemaakt.

1926 Op 10 juni overlijdt Gaudí. Hij wordt in de crypte begraven.

1927-1930 De overige drie klokkentorens aan de oostgevel zijn klaar.

1936 Brand in de crypte. Gaudí's archief met tekeningen en modellen wordt gedeeltelijk verwoest.

1954 Er wordt een begin gemaakt met de fundamenten van de westgevel.

1976 Vijftigste sterfdag van Gaudí. De torenspitsen van de westgevel zijn voltooid.

1985 Voltooiing van de westgevel.

Plattegrond van de werken

1
Casa Vicens

2
Sagrada Familia

3
Finca Güell

4
Palacio Güell

5
Colegio Teresiano

6
Casa Calvet

7
Crypte Colònia Güell

8
Bellesguard

9
Park Güell

10
Finca Miralles

11
Casa Batlló

12
Casa Milà

13
Casa El Capricho

14
Bisschoppelijk paleis in Astorga

15
Casa de los Botines

16
Bodegas Güell

17
Eerste Glorierijke Mysterie van Montserrat

18
Kathedraal van Palma

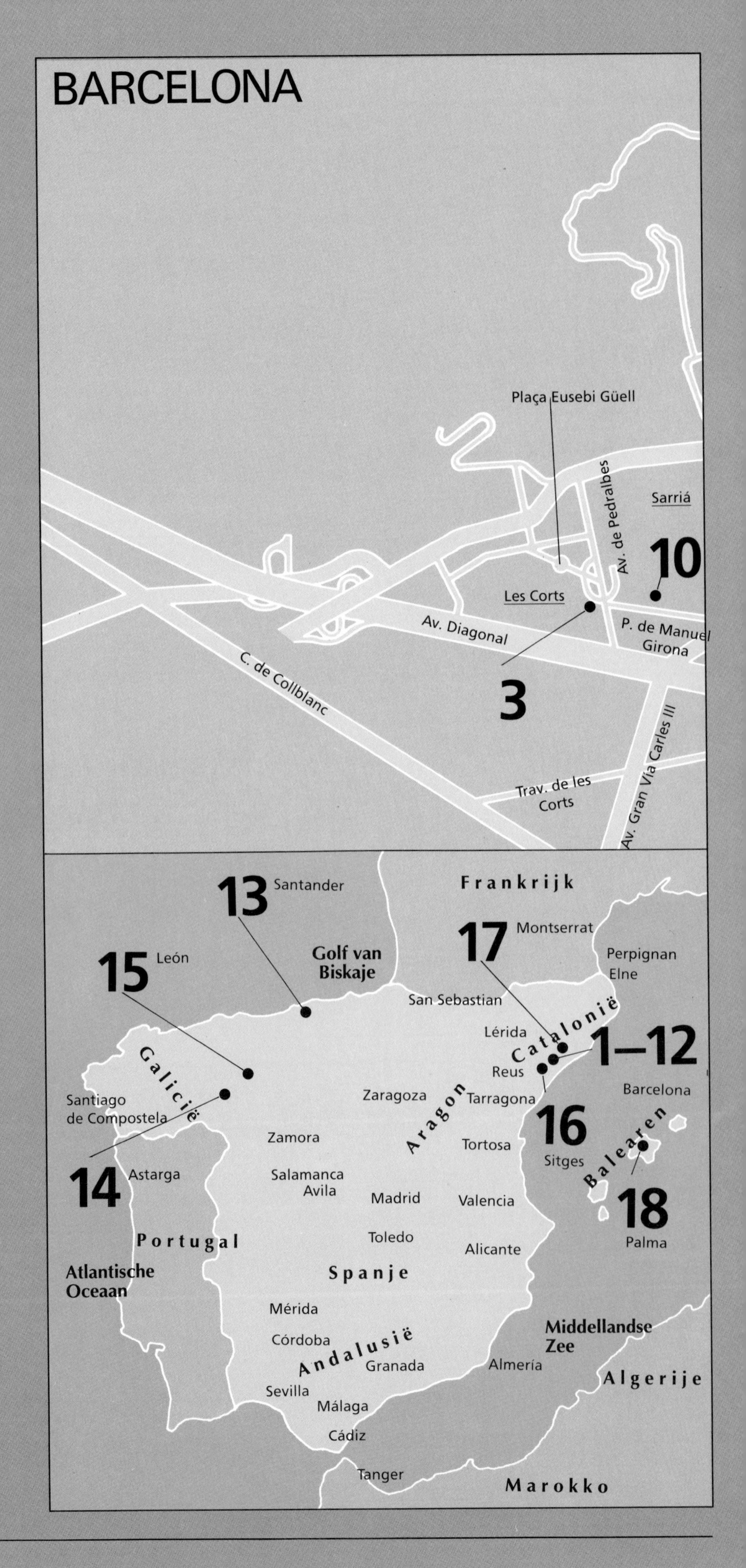

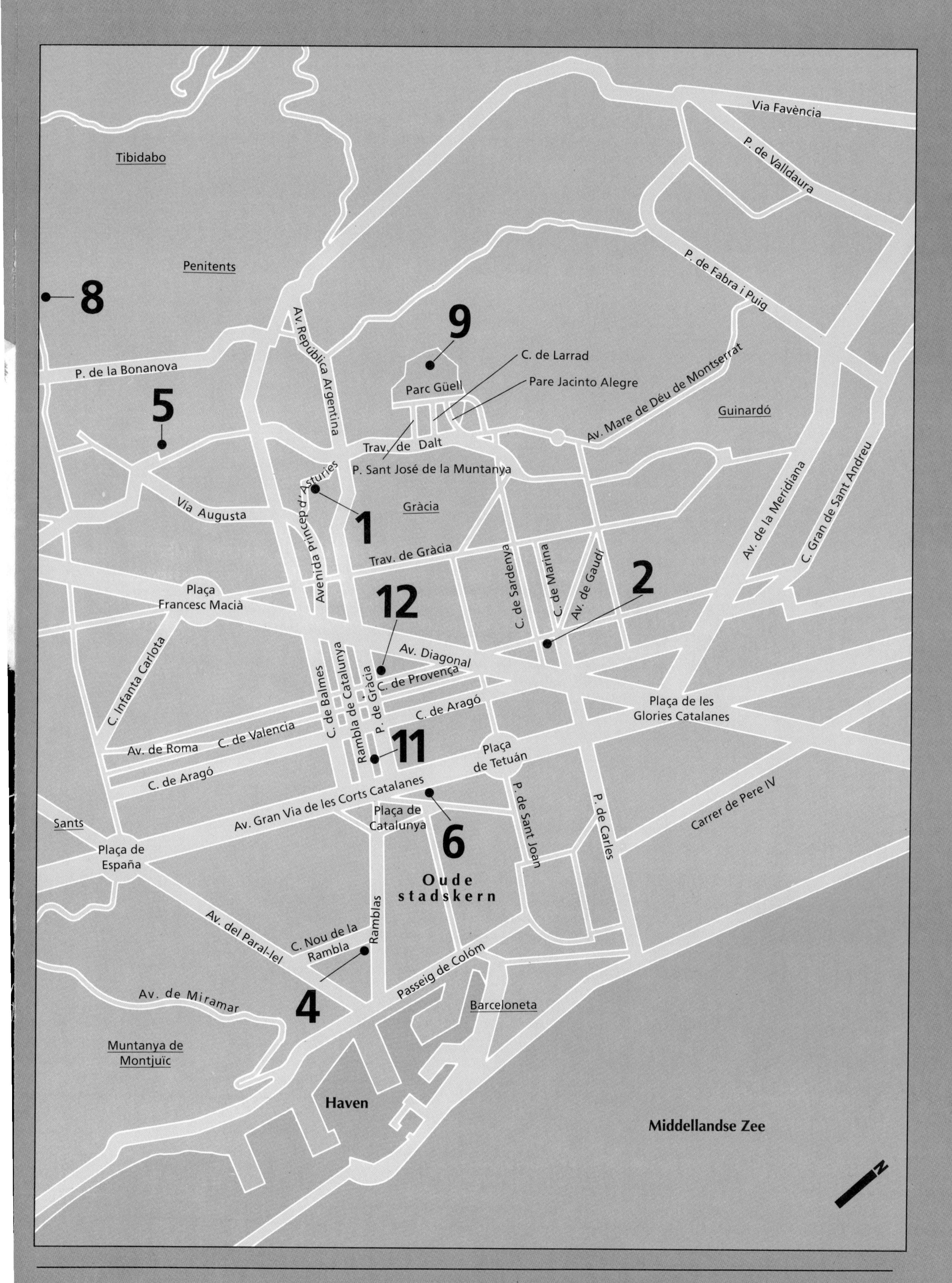
Via Favència
P. de Valldaura
Tibidabo
Penitents
P. de Fabra i Puig
8
9
Av. República Argentina
C. de Larrad
Pare Jacinto Alegre
P. de la Bonanova
Parc Güell
Av. Mare de Déu de Montserrat
Guinardó
5
Trav. de Dalt
P. Sant José de la Muntanya
Asturies
Via Augusta
1
Gràcia
Av. de la Meridiana
C. Gran de Sant Andreu
Avenida Princep d'
Trav. de Gràcia
C. de Sardenya
C. de Marina
Av. de Gaudí
2
Plaça
Francesc Macià
12
Av. Diagonal
C. Infanta Carlota
C. de Balmes
Rambla de Catalunya
P. de Gràcia
C. de Provença
C. de Aragó
Plaça de les
Glories Catalanes
Av. de Roma
C. de Valencia
11
Plaça
de Tetuán
C. de Aragó
Av. Gran Via de les Corts Catalanes
P. de Sant Joan
P. de Carles
Carrer de Pere IV
Sants
Plaça de
Catalunya
Plaça de
España
6
Oude
stadskern
Av. del Paral-lel
C. Nou de la
Rambla
Ramblas
Passeig de Colóm
Av. de Miramar
4
Barceloneta
Muntanya de
Montjuïc
Haven
Middellandse Zee
N

Bibliografie

De literatuur over Gaudí is haast niet meer te overzien. In het begin waren het alleen maar Gaudí's beste vrienden die zich over de werkzaamheden en ideeën van de architect uitten. Maar er ontstond al gauw een stroom van publikaties die zich met de op de toekomst wijzende aspecten van Gaudí's werk bezighielden.

Alleen al een bibliografie van de American Association of Architectural Bibliographers leidde in 1973 tot 843 publikaties over Gaudí's bouwkunde.

Inmiddels zijn er meer publikaties verschenen.

Dit boek is niet als een nieuwe onderzoeksbijdrage voor de al bestaande literatuur bedoeld; het is veeleer een inleiding in Gaudí's werk en eventueel een aanzet tot een reis naar Spanje (we hoeven niet eens zoveel te reizen, want de meeste gebouwen bevinden zich toch in Barcelona).

Een keuze uit de bibliografieën kan u misschien helpen bij een eventueel verder verdiepen in het werk van deze beroemde architect. Het accent ligt voornamelijk op Duitstalige publikaties.

Een algemene inleiding in de Jugendstil (art nouveau) met een kort waarderend artikel over Gaudí's bijdrage aan deze kunststroming vindt men bij:

Schmutzler, Robert: Art nouveau-Jugendstil, Stuttgart, 1962.

Madsen, Stefan Tschudi: Jugendstil. Europäische Kunst der Jahrhundertwende, München, 1967.

Zeer aan te bevelen is de catalogus, die ter gelegenheid van een tentoonstelling in de Villa Stuck in München werd gepubliceerd en die een uitstekende inleiding is in Gaudí's architectuur.

Onmisbaar is vooral het grote Gaudí-boek van César Martinell. De auteur sprak met talrijke tijdgenoten van de architect en biedt omvangrijk materiaal over de persoon Gaudí, dat anders niet toegankelijk zou zijn, omdat de architect zich zelden op schrift heeft geuit.

Martinell, César: Antoni Gaudí (Spaanse uitgave: Barcelona, 1967; Italiaanse uitgave: Milaan, 1955; Engelse uitgave: Barcelona 1975).

Boeck, Wilhelm: Antonio Gaudí. Een catalogus bij een tentoonstelling in Baden-Baden met uitstekende karakteriseringen van de bouwwerken. Baden-Baden, 1961.

Camprubi-Alemany, F.: Die Kirche der Heiligen Familie in Barcelona. Dissertatie. München, 1959.

Collins, Georg R.: Antonio Gaudí. Ravensburg, 1962.

Conrads, Ulrich, und Sperlich, Hans G.: Phantastische Architektur. Stuttgart, 1960.

Dalisi, Riccardo: Antonio Gaudí - Möbel und Objekte. Stuttgart, 1981.

Giedion-Welker, C.: Park Güell de A. Gaudí. Barcelona, 1966 (met een tekst in het Spaans, Duits, Engels en Frans).

Güell, Xavier: Antoni Gaudí. Zürich und München, 1987.

Hitchcock, Henry-Russel: Gaudí. New York, 1957.

Ràfols, José F.: Gaudí, Barcelona, 1960 (3e oplage).

Schweitzer, Albert: Aus meinem Leben und Denken (Leipzig, 1932), met een vroege herinnering aan een ontmoeting met Gaudí.

Solà-Morales, Ignasi de: Gaudí. Stuttgart, 1983.

Sterner, Gabriele: Barcelona: Antoni Gaudí i Cornet. Architektur als Ereignis. Köln, 1979.

Sweeney, James Johnson, en Sert, Josep Lluís: Antonio Gaudí. Stuttgart, 1960.

Wiedemann, Josef: Antoni Gaudí. Inspiration in Architektur und Handwerk. München, 1974.

Dienst van Publikaties van het Spaanse Ministerie van Buitenlandse Zaken: Gaudí na 50 jaar 1852-1926. Technische Hogeschool Delft, afdeling bouwkunde in samenwerking met de Spaanse ambassade in Den Haag, mei 1978.